Windows 8

ANA MARTOS RUBIO

Todos los nombres propios de programas, sistemas operativos, equipos hardware, etc., que aparecen en este libro son marcas registradas de sus respectivas compañías u organizaciones.

Edición española:

© EDICIONES ANAYA MULTIMEDIA
(GRUPO ANAYA, S.A.), 2013
Juan Ignacio Luca de Tena, 15.
28027, Madrid
Depósito legal: M. 30.310-2012
ISBN: 978-84-415-3263-2
Printed in Spain

Índice

I

Introducción

Microsoft ha puesto en escena un nuevo producto, la última versión de su universal Windows, el sistema operativo más popular del mundo. La nueva versión, que lleva el nombre de Windows 8, estrena estilo, un estilo novedoso, visual y práctico, que tiene el aspecto de un mosaico de colores similar a los que se utilizan en los aeropuertos o en el Metro para informar al público. De ahí que este nuevo estilo se denomine "estilo Metro".

Windows 8 acaba de salir al mercado. Sin embargo, no es la primera vez que fluye en Internet. Antes de su fabricación definitiva, Microsoft puso a disposición de programadores, desarrolladores y usuarios que desearan probarlo dos versiones previas. La primera apareció en febrero de 2012 y, un mes después del lanzamiento, más de un millón de usuarios la habían descargado en sus equipos para probarla y poner de relieve las posibles mejoras a aplicar. La segunda versión apareció el 31 de mayo de 2012, siendo también descargada por numerosas personas que se implicaron en la tarea de comprobar el programa y aportar ideas para optimizarlo. Esto convierte a Windows 8 en el sistema operativo más comprobado del mundo.

Si usted ya ha utilizado una versión anterior de Windows, podrá observar que las novedades que aporta Windows 8 justifican sobradamente la actualización a esta nueva versión. Si no ha utilizado Windows anteriormente, encontrará en Windows 8 un sinfín de posibilidades, de recursos y de funciones sumamente útiles, sencillas y atractivas, tanto si utiliza el programa en un ordenador tradicional, en un portátil, en una tableta o en otro dispositivo. Pruébelo. Este libro le conducirá a través de esas funciones para que aprenda a beneficiarse de ellas de una manera fácil y práctica.

1

Primeros pasos con Windows 8

Windows es un sistema operativo muy potente y versátil que hace funcionar todos los recursos del ordenador. Su nombre significa "ventanas," precisamente porque la filosofía de este programa se basa en el trabajo con ventanas. Sin embargo, la primera impresión que ofrece la pantalla inicial de Windows 8 no es de ventanas, sino de mosaicos de colores que ofrecen diferentes contenidos e invitan a hacer clic en ellos con el ratón o a tocarlos con el dedo, si se dispone de una pantalla táctil. Véase la figura 1.1.

Figura 1.1. La primera vista de Windows 8 es un mosaico.

LA PANTALLA INICIO DE WINDOWS 8

Al iniciarse Windows 8, aparece la pantalla Inicio que muestra la figura 1.1. En ella puede ver varios mosaicos con el nombre y el icono de su contenido. Haga clic en la barra de desplazamiento horizontal, situada a lo largo del borde inferior de la pantalla y arrástrela con el ratón hacia la derecha para ver la pantalla completa. Si el nombre de algún mosaico no está visible, coloque el puntero del ratón sobre él sin hacer clic y podrá ver la etiqueta del nombre.

PRÁCTICA:

Pruebe a hacer clic con el ratón en uno de los mosaicos para ver el resultado. Observe que, si hace clic en Correo, la pantalla le invitará a iniciar una cuenta con Microsoft. Haga clic en **Cancelar**. Abriremos la cuenta más tarde. Haga clic en un mosaico que no requiera tener una cuenta, por ejemplo, El tiempo. Escriba su localidad cuando el programa lo pregunte y haga clic en el botón **Agregar**.

Figura 1.2. El tiempo en el mosaico El tiempo.

Los mosaicos de Windows 8

Windows 8 almacena tras los mosaicos de la pantalla Inicio todo el contenido del equipo. A medida que se van instalando programas, van apareciendo los mosaicos correspondientes en el extremo derecho de la pantalla. Al hacer clic sobre uno de ellos, el programa se ejecuta.

En la figura 1.3, puede ver tres programas que hemos instalado y para los que Windows 8 ha creado mosaicos más pequeños que los predeterminados.

Figura 1.3. Programas en el extremo derecho de la pantalla.

Los mosaicos Fotos y Video presentan las imágenes o los vídeos almacenados en el ordenador. Si no ha copiado imágenes o vídeos propios al equipo, solamente podrá ver los que Windows trae de forma predeterminada.

Características de los mosaicos

Los mosaicos de Windows 8 tienen algunas características comunes que todos comparten.

- Tienen una barra de desplazamiento horizontal situada en el margen inferior de la pantalla, que permite desplazarse a la derecha para visualizar todo el contenido del mosaico. Puede verla en la figura 1.1.
- En algunos mosaicos, hay un botón con el signo menos en el extremo derecho de la barra de desplazamiento. Al hacer clic en él, el contenido del mosaico se esquematiza y se muestra completo. Puede verlo señalado en la figura 1.4. El esquema aparece en la figura 1.5.
- Al aproximar el ratón al margen derecho de la pantalla, aparece entonces la columna de iconos. Puede verla en la figura 1.5.
- Al aproximar el ratón al margen izquierdo de la pantalla, aparecen las miniaturas de los mosaicos anteriormente visitados. En algunos mosaicos como Internet Explorer, las miniaturas aparecen en la parte superior de la pantalla, en lugar de a la izquierda. Se puede hacer clic en una de ellas para regresar a esa página.
- Al aproximar el ratón al margen superior de la pantalla, se convierte en una mano. Al arrastrarlo, el mosaico disminuye de tamaño. Se recupera al soltar el ratón.
- Haciendo clic con el botón derecho del ratón en el mosaico, aparece el menú en la parte inferior de la pantalla.
- Para salir de cualquier modo y volver a la pantalla Inicio, hay que pulsar la tecla **Windows** del teclado del ordenador.

PRÁCTICA:

Pruebe a abrir un mosaico:

1. Haga clic sobre el mosaico Viajes.
2. Haga clic sobre la barra de desplazamiento situada en la parte inferior de la pantalla y arrástrela despacio hacia la derecha para ver toda la pantalla.
3. En la pantalla principal de Viajes, haga clic en el botón que tiene el signo menos (-). Está situado en la esquina inferior derecha, como muestra la figura 1.4.

4. En la ventana siguiente, haga clic sobre Panorámicas.

Figura 1.4. La pantalla principal de Viajes con el botón.

5. Elija una de las panorámicas, por ejemplo, Cape Town, Sudáfrica.
6. Haga clic sobre la flecha izquierda situada en la esquina superior izquierda de la pantalla para volver a Panorámicas.

7. Ahora puede elegir otra panorámica.
8. Para salir, puede optar por:
   - Pulsar la tecla **Windows** del teclado de su ordenador.
   - Acercar el puntero del ratón al margen derecho de la ventana y después hacer clic en Inicio, en la fila de iconos de la derecha.

Figura 1.5. El icono Inicio aparece a la derecha al acercar el puntero.

EL ESCRITORIO TRADICIONAL DE WINDOWS

Además de la pantalla inicial "estilo Metro", Windows 8 conserva su Escritorio tradicional, al que se accede haciendo clic en el mosaico **Escritorio**, situado en la esquina inferior izquierda de la pantalla Inicio.

Al poner en marcha cualquier programa, como Paint, WordPad u otra aplicación instalada, Windows 8 lo ejecuta directamente en el Escritorio. Al cerrar el programa o aplicación, aparece el Escritorio. Para volver a los mosaicos hay que pulsar de nuevo la tecla **Windows**.

El Escritorio de Windows contiene un icono de cada uno de los programas instalados. Para poner en marcha un programa, es preciso hacer doble clic sobre su icono.

En la parte inferior del Escritorio, puede verse la barra de tareas. En la figura 1.6 aparecen dos iconos de programas anclados a la izquierda de la barra de tareas. Son Internet Explorer y el Explorador de archivos. Para poner en marcha un programa anclado a la barra de tareas, hay que hacer clic sobre él.

LAS VENTANAS DE WINDOWS 8

Windows trabaja con ventanas, de ahí su nombre. Todos los documentos, archivos y programas aparecen en la pantalla dentro del marco de una ventana. Se manejan con clics de ratón.

Abrir una ventana

Para abrir una ventana, hay que hacer doble clic en el icono que representa al programa.

Todas las ventanas abiertas tienen su representación en forma de botón anclado en la barra de tareas, hay que hacer clic en él.

Figura 1.6. El Escritorio tradicional de Windows con los iconos y la barra de tareas.

PRÁCTICA:

Abra la ventana del Explorador de archivos (véase la figura 1.7):

1. Haga clic sobre el mosaico **Escritorio**.
2. Haga clic en el botón que tiene forma de carpeta en la barra de tareas. Está situado a continuación de Internet Explorer.

Figura 1.7. La ventana del Explorador de archivos abierta.

Minimizar

Minimizar consiste en convertir la ventana en un botón que se sitúa en la barra de tareas. Con ello, la ventana no se cierra, sino que se oculta momentáneamente.

PRÁCTICA:

Para minimizar la ventana del Explorador de archivos, haga clic en el botón **Minimizar**.

Tiene el signo menos y es el primero de los tres botones situados en la esquina superior derecha de la ventana.

1. Observe que la ventana se funde con su botón situado en la barra de tareas.

Restaurar

Restaurar es abrir de nuevo una ventana minimizada.

PRÁCTICA:

Para restaurar la ventana del Explorador de archivos, haga clic en el botón situado en la barra de tareas. La ventana volverá a su tamaño y posición anteriores.

Maximizar

Maximizar consiste en abrir la ventana en toda su amplitud. Cuando se abre una ventana, suele quedar de manera que permita ver parte del Escritorio o bien otras ventanas abiertas. Al maximizarla, ocupa toda la pantalla.

PRÁCTICA:

Para maximizar la ventana del Explorador de archivos, haga clic en el botón **Maximizar**. Tiene dos pequeños cuadros, uno sobre otro, y es el botón central de los tres botones de la esquina superior derecha de la ventana. Véase la figura 1.8.

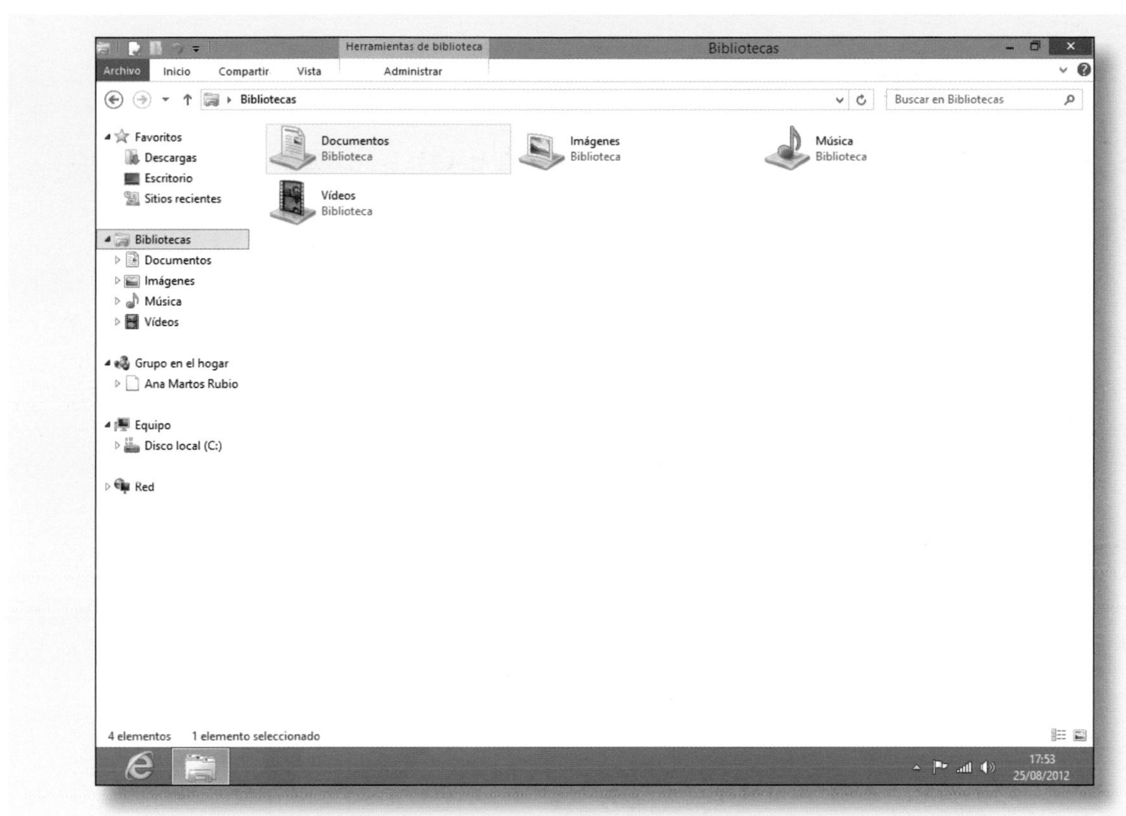

Figura 1.8. La ventana del Explorador de archivos maximizada ocupa toda la pantalla.

Cerrar

Para cerrar una ventana hay que hacer clic en el botón **Cerrar**. Es de color rojo y muestra un aspa. Es el último de los tres botones de la esquina superior derecha de la ventana. Al aproximar el ratón, aparece la información de herramientas indicando "Cerrar".

Mover

Una ventana se puede desplazar en la pantalla, siempre que no esté minimizada ni maximizada, es decir, que tenga el tamaño intermedio que permite ver el Escritorio.

PRÁCTICA:

Pruebe a desplazar la ventana del Explorador de archivos.

1. Si la ventana está maximizada, haga clic en el botón **Minimiz. tamaño**, el central de los tres botones de la esquina superior derecha. La ventana quedará abierta pero dejará ver el Escritorio.
2. Haga clic en el borde superior de la ventana, el que aloja los botones para minimizar y cerrar.
3. Sin soltar el botón izquierdo del ratón, arrastre la ventana por el Escritorio.
4. La ventana quedará fija en el lugar en que usted suelte el botón del ratón.

Figura 1.9. La ventana del Explorador de archivos se ha desplazado a otro lugar.

Cambiar el tamaño

Las ventanas se pueden cambiar de tamaño. Al aproximar el puntero del ratón a uno de los laterales, sin hacer clic, se convierte en una flecha de dos puntas con la que se puede estirar hacia dentro o hacia fuera, hacia arriba o hacia abajo, para reducirla o ampliarla.

PRÁCTICA:

Para hacer más alta la ventana del Explorador de archivos, haga lo siguiente:

1. Acerque el puntero del ratón a la parte superior de la barra superior y entonces, sin hacer clic, déjelo un instante.
2. Cuando se convierta en una flecha de dos puntas, haga clic y arrastre suavemente hacia arriba.
3. La ventana se estirará. Cuando alcance el tamaño deseado, suelte el botón del ratón.

Pruebe ahora a encogerla de nuevo:

1. Acerque el puntero del ratón a la barra superior y, cuando se convierta en una flecha de dos puntas, haga clic y arrastre suavemente hacia abajo.
2. La ventana se encogerá. Cuando alcance el tamaño deseado, suelte el botón del ratón.
3. Pruebe ahora a ensancharla, estirando uno de los laterales. Después podrá encogerla de nuevo, tirando del mismo lateral hacia dentro.

Los botones Atrás y Adelante

Las ventanas tienen dos botones en el extremo superior izquierdo. Son los botones **Atrás** y **Adelante**, que permiten regresar a una posición anterior o volver después de haber dado marcha atrás.

Organizar las ventanas

Si hay más de una ventana abierta, se pueden organizar para verlas todas a la vez.

PRÁCTICA:

Pruebe a abrir dos ventanas.

1. Si está en la pantalla Inicio, haga clic en el mosaico **Escritorio**.
2. Haga clic en el botón **Explorador de archivos** en la barra de tareas.
3. Una vez que la ventana del Explorador esté abierta, haga clic con el botón derecho del ratón sobre el mismo botón del Explorador de archivos en la barra de tareas.
4. En el menú contextual que aparece, haga clic (ahora con el botón izquierdo) sobre la opción Explorador de archivos para abrir una segunda ventana. Véase la figura 1.10.
5. Ahora que hay dos ventanas abiertas del Explorador de archivos, pruebe a mover una de ellas, haciendo

clic en el borde superior, de manera que deje ver la otra ventana.

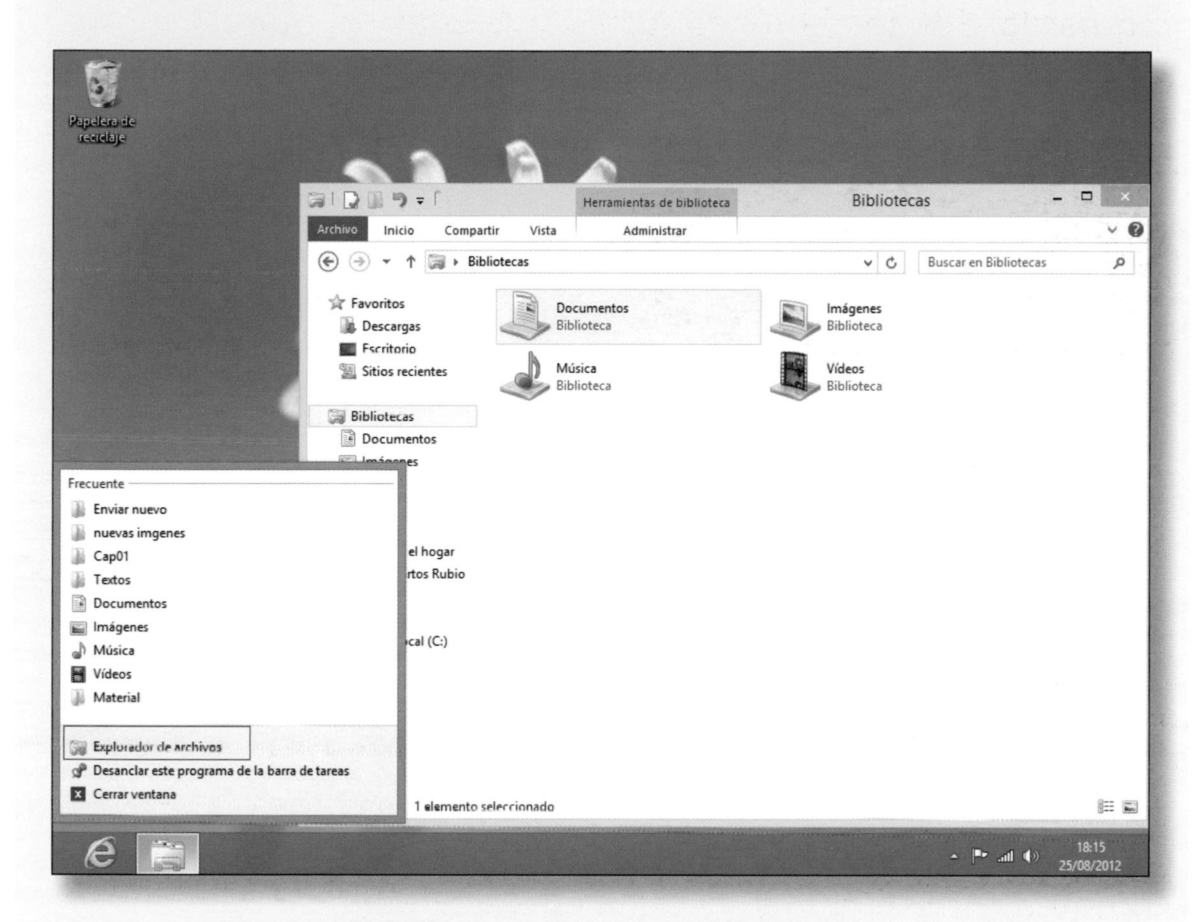

Figura 1.10. El menú contextual.

6. Pruebe ahora a seleccionar la otra ventana, haciendo clic en el borde superior. Si el borde superior no está visible porque se solapa con la otra ventana, haga clic en un lateral cualquiera. Con eso, la ventana pasará a primer plano y podrá manipularla. Véase la figura 1.11.
7. Ahora puede trabajar con una u otra, seleccionando previamente una de ellas con un clic.

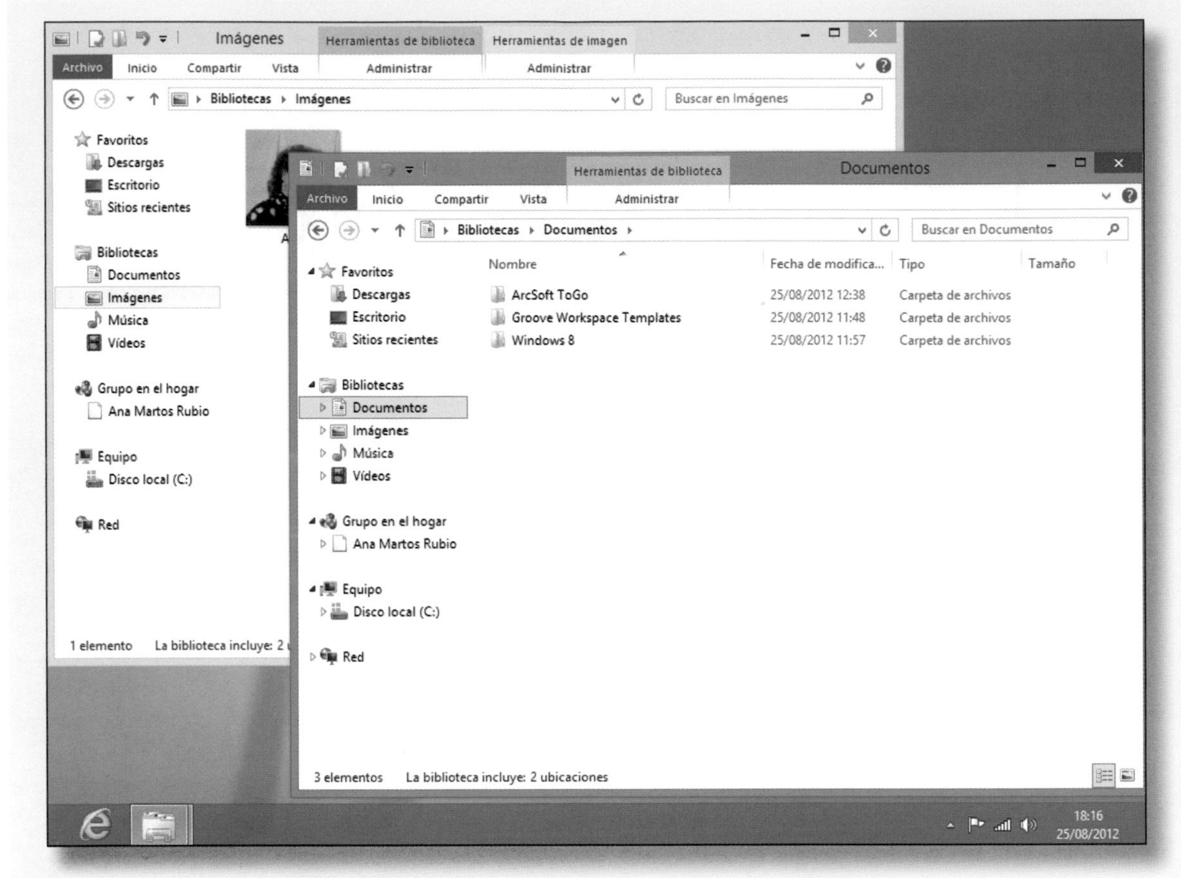

Figura 1.11. Las dos ventanas abiertas.

Cuando hay más de una ventana en la pantalla, se pueden organizar utilizando el menú contextual de la barra de tareas.

PRÁCTICA:

Pruebe a organizar las ventanas con el menú de la barra de tareas.

1. Haga clic, esta vez con el botón derecho del ratón, en una zona de la barra de tareas en la que no haya botones ni iconos.

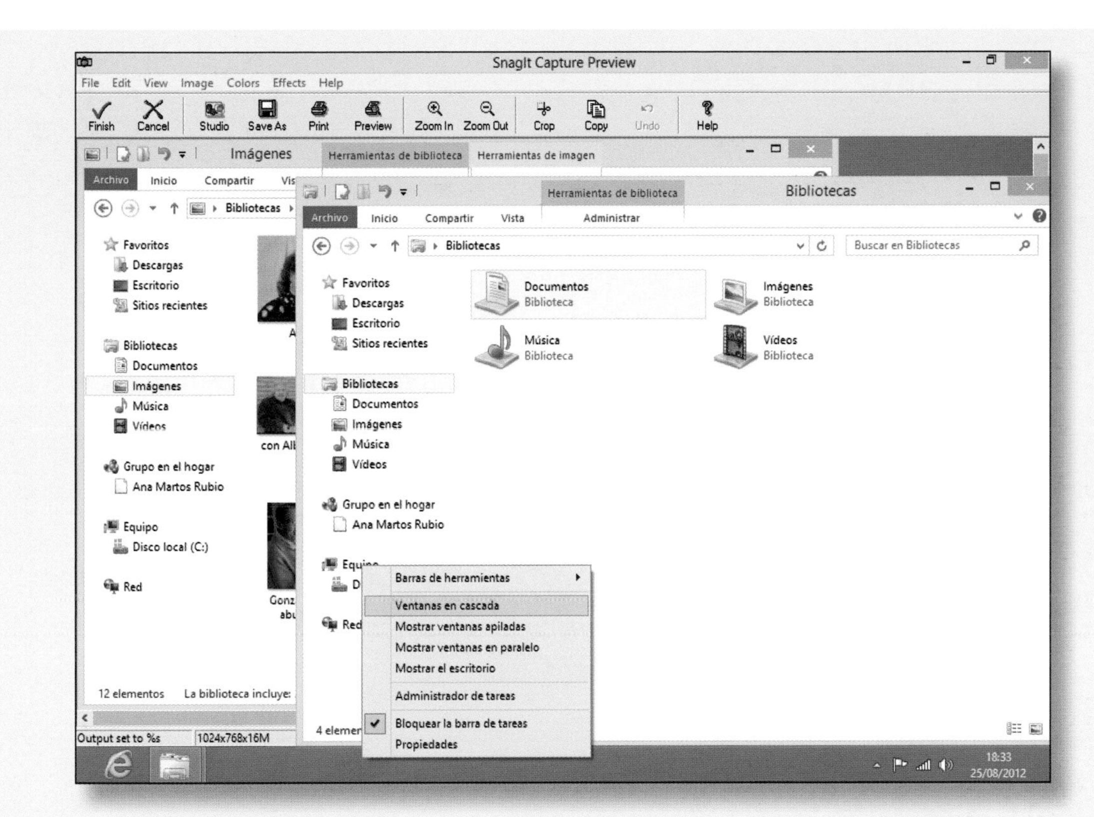

Figura 1.12. El menú contextual de la barra de tareas.

2. Haga clic (con el botón izquierdo) en la opción Mostrar ventanas apiladas. Ambas ventanas se situarán una encima de otra. Si elige Mostrar ventanas en paralelo, se situarán una junto a la otra.
3. Para dejar las ventanas como estaban, haga clic de nuevo con el botón derecho en la barra de tareas y seleccione la opción Deshacer Mostrar apilado o Deshacer mostrar paralelo.

Otro método para cerrar una ventana

Todas las ventanas abiertas en el Escritorio, ya estén maximizadas o minimizadas, presentan un botón en la barra de tareas.

Ese botón tiene también su menú contextual, que ya hemos usado para abrir la segunda ventana del Explorador de archivos.

PRÁCTICA:

Pruebe a cerrar una de las ventanas del Escritorio utilizando el botón de la barra de tareas.

1. Haga clic con el botón derecho del ratón en el botón **Explorador de archivos**, en la barra de tareas.
2. En el menú contextual, haga clic (con el botón izquierdo) en la opción Cerrar ventana. Si hay más de una ventana abierta del mismo programa, la opción indicará Cerrar todas las ventanas.

Anclar y desanclar ventanas

El Explorador de archivos aparece siempre como un botón en la barra de tareas porque la ventana está anclada. Para desanclar la ventana de la barra de tareas y que no aparezca al iniciar Windows, hay que hacer clic con el botón derecho del ratón sobre el botón de esa ventana y seleccionar en el menú contextual Desanclar este programa de la barra de tareas.

Por el contrario, para anclar una ventana a la barra de tareas, hay que seleccionar la opción Anclar este programa a la barra de tareas en el menú contextual del botón.

Las barras de desplazamiento

Las ventanas tienen barras de desplazamiento que facilitan el moverse dentro de ellas. Aparecen cuando parte del contenido no queda visible debido al tamaño de la ventana. Puede haber una barra de desplazamiento horizontal en la parte inferior, como hemos visto en la pantalla Inicio y/o una barra de desplazamiento vertical en el lateral derecho, como muestra la figura 1.13.

PRÁCTICA:

Aprenda a desplazarse dentro de la ventana del Explorador de archivos.

1. Observe las dos barras de desplazamiento vertical en la figura 1.13. En cada extremo hay un botón con una flecha. La ventana del Explorador de archivos se compone de dos ventanas y cada una de ellas tiene su barra de desplazamiento vertical, lo que permite moverlas con independencia. En el extremo de cada barra pueden verse las flechas que apuntan arriba o abajo.

Figura 1.13. Las barras de desplazamiento verticales de la ventana del Explorador de archivos.

PRÁCTICA:

1. Haga clic en el pequeño botón con la flecha abajo de la barra de desplazamiento vertical, para desplazarse hacia abajo.
2. Pruebe ahora a hacer clic en el botón con la flecha arriba para ascender.

El botón de desplazamiento

El botón de desplazamiento es un rectángulo más o menos largo, según el espacio disponible, que se halla en medio de la barra de desplazamiento.

PRÁCTICA:

Ahora pruebe a mover el botón de desplazamiento vertical. Haga clic en él y, sin soltar el ratón, muévalo arriba y abajo y observe cómo se desplaza con él en la ventana.

Truco: La barra de desplazamiento horizontal del Explorador de archivos solamente aparece cuando la información no cabe en la ventana. Para forzar la aparición de esta barra, hemos encogido la ventana arrastrando los laterales hacia dentro.

LOS MENÚS

Todos los programas que funcionan con Windows ofrecen uno o varios menús. Un menú es una lista de opciones entre las cuales podemos elegir una. Algunas opciones de menú dan paso a submenús con nuevas listas de opciones.

PRÁCTICA:

1. Pruebe a hacer clic con el botón derecho del ratón en una zona del Escritorio en que no haya iconos ni ventanas. Aparecerá el menú contextual del Escritorio con las opciones adecuadas para gestionarlo.
2. Pruebe ahora a hacer clic con el botón derecho sobre el icono de la Papelera de reciclaje. Aparecerá el menú para abrirla, vaciarla, etc.

Figura 1.14. El menú contextual de la Papelera de reciclaje.

LOS ICONOS Y SU SIGNIFICADO

Los iconos son pequeños dibujos que representan un programa, un documento, un archivo o una unidad del ordenador. Su función es permitir el acceso directo al programa, documento, archivo o unidad que representan. Al hacer doble clic en un icono del Escritorio, se accede directamente al programa.

Cada vez que instale un programa en el equipo, además del mosaico correspondiente, se generará un icono en el Escritorio que le permitirá ejecutar ese programa haciendo doble clic. En la figura 1.15 puede ver los iconos de varios programas instalados, como Adobe Reader o Microsoft Word.

Truco: Hacer doble clic significa hacer dos clics muy rápidos y muy seguidos, porque, de lo contrario, la ventana no se abre. Si encuentra dificultad para hacerlo y mientras adquiere práctica, pruebe a hacer un solo clic con el botón derecho del ratón sobre el icono. Cuando aparezca el menú contextual, haga clic en la opción Abrir. El efecto es el mismo que el doble clic.

CONCEPTOS BÁSICOS: SELECCIONAR, ACEPTAR Y CANCELAR

En Windows, cada clic del ratón es una instrucción dada al sistema operativo para que realice una tarea. Las más fundamentales son seleccionar, aceptar y cancelar.

Seleccionar es apuntar

Seleccionar significa apuntar con el ratón a un archivo, documento u objeto. Una vez que el objeto esté seleccionado, la próxima acción que ordenemos a Windows la aplicará a ese objeto. Al seleccionar, por ejemplo, una imagen, Windows apunta hacia ella. Si después se le ordena borrar, será esa imagen la que borre. Si se le ordena copiar, la copiará.

PRÁCTICA:

Pruebe a seleccionar objetos.

1. Haga clic en el mosaico **Escritorio**.
2. Haga clic en el botón **Explorador de archivos** en la barra de tareas.
3. Haga clic en cualquiera de las carpetas que muestra el Explorador. Verá que cambia de color a azul más oscuro. Eso indica que está seleccionada.
4. Para seleccionar varios objetos contiguos, haga clic en el primero, pulse la tecla **Mayús** y, sin dejar de presionarla, haga clic en el último. Pruebe a seleccionar Documentos, Imágenes y Música en la ventana del Explorador.

5. Para seleccionar varios objetos no contiguos, mantenga pulsada la tecla **Control** y haga clic en cada uno de ellos sucesivamente. Pruebe a seleccionar Documentos y Vídeos en la ventana del Explorador. Véase la figura 1.15.

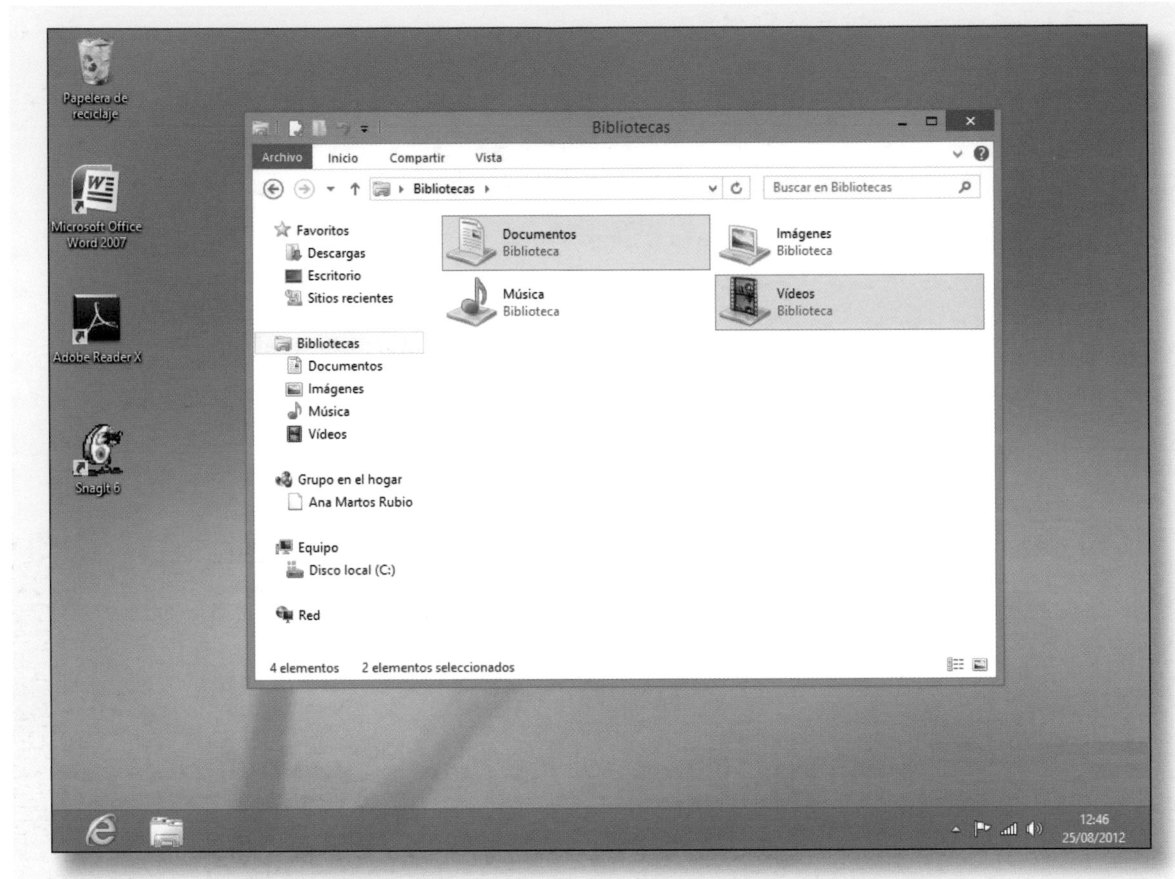

Figura 1.15. Las dos carpetas seleccionadas.

Eliminar una selección

Para dejar de seleccionar uno o varios objetos, basta con hacer clic en cualquier lugar en el que no haya elementos ni objetos.

PRÁCTICA:

Pruebe ahora a quitar la selección de las carpetas, simplemente haciendo clic en la ventana del Explorador, en un lugar en el que no haya carpetas.

Aceptar es consentir

Aceptar significa dar consentimiento a una acción del programa. Los programas están preparados para pedir al usuario su consentimiento antes de realizar una acción comprometida.

Hay dos formas de aceptar una acción de Windows (o de otro programa):

- Hacer clic en el botón **Aceptar** del cuadro de diálogo en el que pide confirmación.
- Pulsar la tecla **Intro** del teclado.

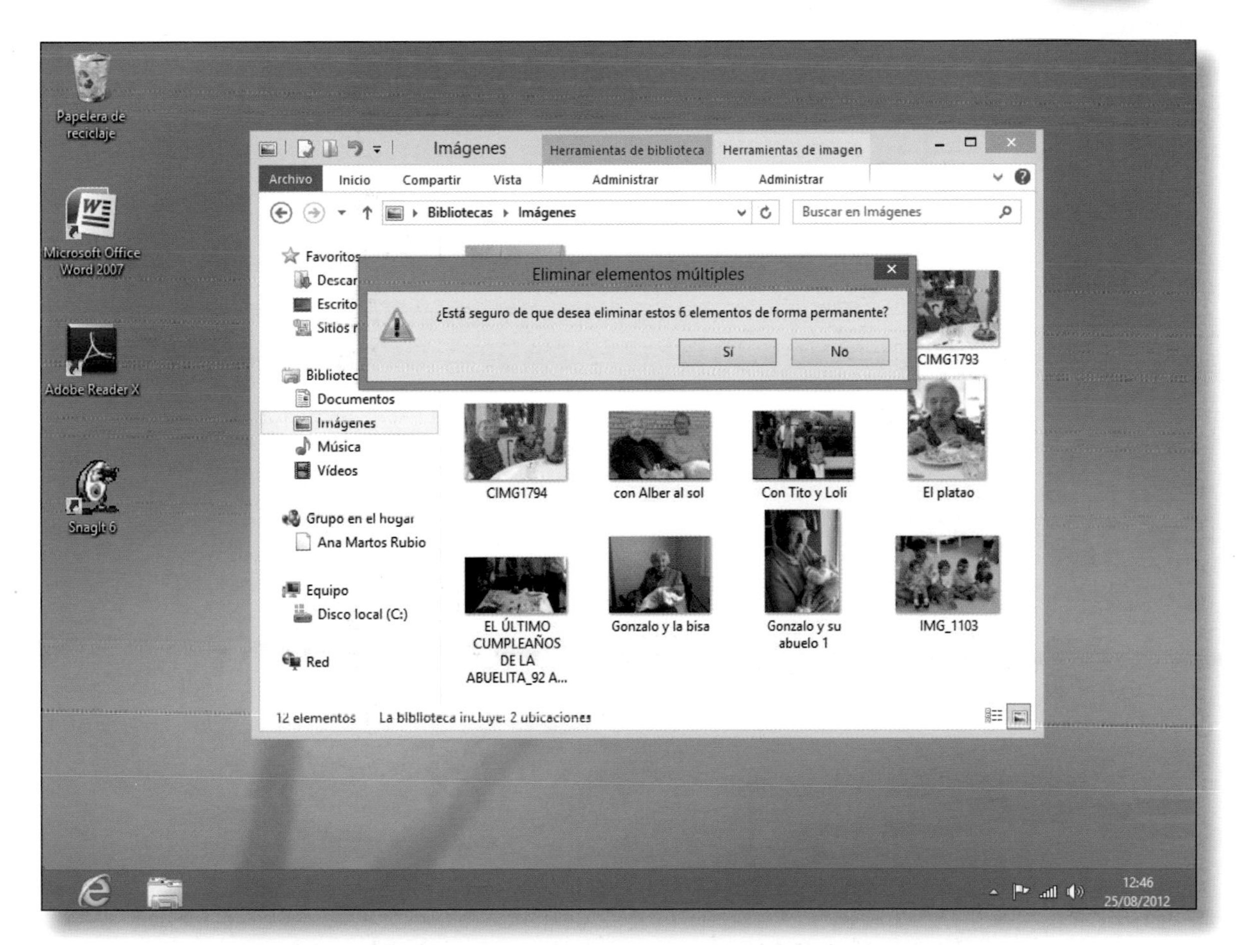

Figura 1.16. Windows pregunta antes de actuar.

Cancelar es denegar

Cancelar es la acción opuesta a aceptar. Con ella, se deniega al programa el consentimiento para realizar la acción. Hay dos maneras de cancelar una acción:

- Hacer clic en el botón **Cancelar** del cuadro de diálogo en el que pide consentimiento.
- Pulsar la tecla **Esc** (Escape) del teclado.

CERRAR WINDOWS

Para cerrar Windows y apagar el ordenador, hay que hacer esto:

1. Aproxime el puntero del ratón a la esquina superior derecha de la pantalla.
2. Cuando aparezca la columna de iconos a la derecha, haga clic en Configuración.
3. Haga clic en el botón **Iniciar/Apagar**. Cuando se despliegue el menú, haga clic en Apagar.

Figura 1.17. El botón Iniciar/Apagar despliega un menú.

4. Si acostumbra desenchufar el equipo, espere a que se apague completamente.

REINICIAR WINDOWS

Después de instalar o desinstalar un programa, suele ser necesario reiniciar Windows. A veces, el reinicio es automático, pero otras veces hay que hacerlo de manera manual. Reiniciar significa apagar el ordenador y ponerlo de nuevo en marcha para que Windows cargue nuevos programas o dispositivos.

PRÁCTICA:

Para reiniciar el ordenador, hay que hacer lo siguiente:

1. Haga clic en el botón **Iniciar/Apagar** para desplegar el menú.
2. Cuando se despliegue el menú, haga clic en Reiniciar. Puede verlo en la figura 1.17.

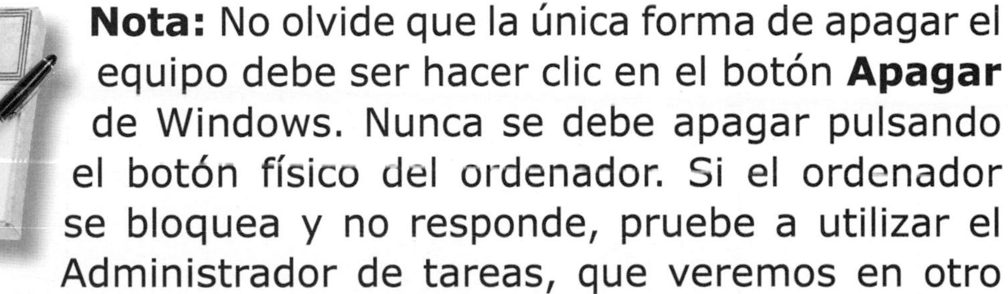

Nota: No olvide que la única forma de apagar el equipo debe ser hacer clic en el botón **Apagar** de Windows. Nunca se debe apagar pulsando el botón físico del ordenador. Si el ordenador se bloquea y no responde, pruebe a utilizar el Administrador de tareas, que veremos en otro capítulo. Si tampoco así se desbloquea, pulse el botón físico **Reinicio** o **Reset** del ordenador.

2

Personalizar Windows 8

Windows 8 llega generalmente instalado en el disco duro, con una configuración estándar que se puede modificar para adecuarla a las necesidades y gustos del usuario.

EL PANEL CONFIGURACIÓN

El panel Configuración permite personalizar algunos aspectos del programa. Para acceder a él, arrastre la barra de desplazamiento hacia la derecha hasta alcanzar el extremo derecho de la pantalla. Aproxime el ratón al borde derecho de la pantalla y, cuando aparezcan los iconos, haga clic en Configuración.

Figura 2.1. Los iconos aparecen al acercar el ratón a la derecha.

La parte inferior del panel Configuración tiene varios iconos. Hemos utilizado uno de ellos en el capítulo anterior para apagar o reiniciar el ordenador. También puede ver el icono para controlar el volumen del sonido del equipo. Tiene forma de altavoz. Haga clic en él para subir o bajar el volumen, moviendo el deslizador abajo o arriba.

Figura 2.2. Los iconos del panel Configuración.

Personalizar la pantalla Inicio

PRÁCTICA:

Cambie la pantalla Inicio de Windows 8.

1. Haga clic en la opción Cambiar configuración de PC.

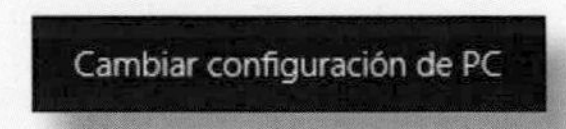

2. Haga clic en la opción Pantalla Inicio.

3. Haga clic en uno de los cuadros inferiores que muestran distintos dibujos.
4. Después, elija uno de los colores, haciendo clic y arrastrando el deslizador a derecha o a izquierda. La pantalla irá cambiando de color a medida que usted mueva el deslizador. Cuando detenga el ratón, la pantalla adquirirá el último color seleccionado. Puede volver al anterior de la misma forma.

Figura 2.3. Los colores para la pantalla Inicio.

Personalizar la imagen de la cuenta

Windows permite poner una imagen o fotografía en el lugar en que aparece la silueta de la cuenta de usuario. Para ello, es imprescindible haber copiado previamente la imagen o fotografía a la carpeta Mis imágenes.

PRÁCTICA:

Coloque una fotografía o imagen en su cuenta de usuario.

1. Haga clic en Imagen de cuenta. Está a la derecha de la opción Pantalla Inicio.
2. Para colocar una fotografía, haga clic en el botón **Examinar**. Está señalado en la figura 2.4. Windows la buscará en la Biblioteca de imágenes.

Figura 2.4. El botón Examinar da acceso a la fotografía almacenada en el equipo.

3. Cuando localice la imagen o fotografía, haga clic en ella y después haga clic en el botón **Elegir imagen**.

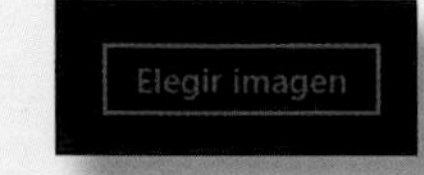

4. Si desea obtener una instantánea y su equipo dispone de cámara Web (webcam), haga clic en Cámara para ponerla en marcha. Windows la guardará en la Biblioteca de imágenes.
5. Haga clic sobre la pantalla para iniciar la fotografía. De forma predeterminada, tardará 3 segundos, pero puede modificar el tiempo haciendo clic en Temporizador.

   Hay otras opciones que puede probar para controlar la cámara.

Figura 2.5. Opciones para controlar la cámara de su equipo.

6. Una vez tomada la fotografía, puede ajustar el tamaño acercando o alejando los puntos de control, que aparecen como pequeños círculos blancos. Después haga clic en **Aceptar** o en **Repetir**.

7. La instantánea quedará como imagen de cuenta, si desea cambiarla, haga clic de nuevo en el botón **Examinar**.
8. Una vez aparezca la fotografía junto a su nombre de usuario, puede cambiarla agregando otra con el mismo procedimiento. Las que no sean de su agrado,

puede eliminarlas haciendo clic sobre ellas con el botón derecho del ratón y seleccionando la opción Borrar historial.

Figura 2.6. Borre las imágenes o fotografías que no le agraden.

Otras opciones de configuración

La zona izquierda del panel que acabamos de ver ofrece una lista de opciones de configuración, que permiten personalizar algunas formas de utilizar el programa. Por ejemplo, la opción Usuarios que aparece en la figura 2.7, permite agregar una contraseña al sistema de inicio de Windows, de manera que nadie pueda ponerlo en marcha sin conocerla. También puede agregar nuevos usuarios si hay más de uno para el equipo.

Figura 2.7. La opción Usuarios permite agregar contraseñas o nuevos usuarios.

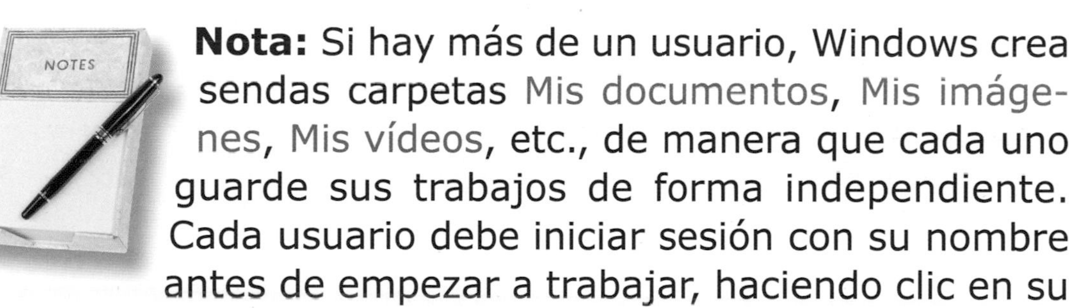

Nota: Si hay más de un usuario, Windows crea sendas carpetas Mis documentos, Mis imágenes, Mis vídeos, etc., de manera que cada uno guarde sus trabajos de forma independiente. Cada usuario debe iniciar sesión con su nombre antes de empezar a trabajar, haciendo clic en su nombre en Imagen de cuenta.

La opción Uso general permite activar la corrección ortográfica o reinstalar Windows partiendo de cero, eliminando todas las modificaciones aplicadas. Esto puede ser útil si el programa se bloquea o si el equipo es afectado por un virus. Si lo desea, puede hacer clic en las distintas opciones para comprobar el contenido.

ORGANIZAR LOS MOSAICOS

Los mosaicos de la pantalla Inicio guardan un orden predeterminado, pero es posible cambiar ese orden, eliminar o agregar mosaicos.

- Para cambiar un mosaico de lugar, haga clic sobre él y arrástrelo con el ratón al lugar que desee.
- Para desanclar, desinstalar o hacer más pequeño un mosaico, haga clic sobre él con el botón derecho del ratón y seleccione la opción deseada en los botones que aparecen en la parte inferior de la pantalla.

Figura 2.8. Las opciones para modificar un mosaico.

La fecha y la hora

El ordenador tiene un reloj interno que capta la hora y un calendario que capta la fecha. Para verlas, hay que arrastrar el puntero del ratón por el lateral derecho de la pantalla. La fecha y la hora aparecen en la figura 2.1.

Nota: Puede cambiar la franja horaria con la opción Hora en el elemento Uso general del panel Configuración. Para modificar la fecha y la hora es preciso utilizar el Panel de control. Veremos este recurso en un próximo capítulo.

El fondo

El fondo del Escritorio es la imagen que se ve en la pantalla. El fondo predeterminado de Windows 8 es el que aparece en las figuras anteriores.

Advertencia: El fondo del Escritorio se puede cambiar fácilmente, pero es importante poner uno que no dificulte la visión de los iconos y otros objetos con los que normalmente hay que trabajar. Cuanto más liso y sencillo sea, tanto más facilitará el trabajo y además menos perjudicará a la vista.

PRÁCTICA:

Pruebe a cambiar el fondo del Escritorio:

1. Haga clic con el botón derecho del ratón en cualquier lugar vacío del Escritorio.
2. En el menú contextual, haga clic en la opción Personalizar.
3. Aparecerá el cuadro Personalización. Puede verlo en la figura 2.9.
4. Si lo desea, elija uno de los temas que ofrece este cuadro de diálogo en su parte central.
5. Para elegir un fondo para el Escritorio, haga clic en la opción Fondos de escritorio, en la parte inferior de la ventana.

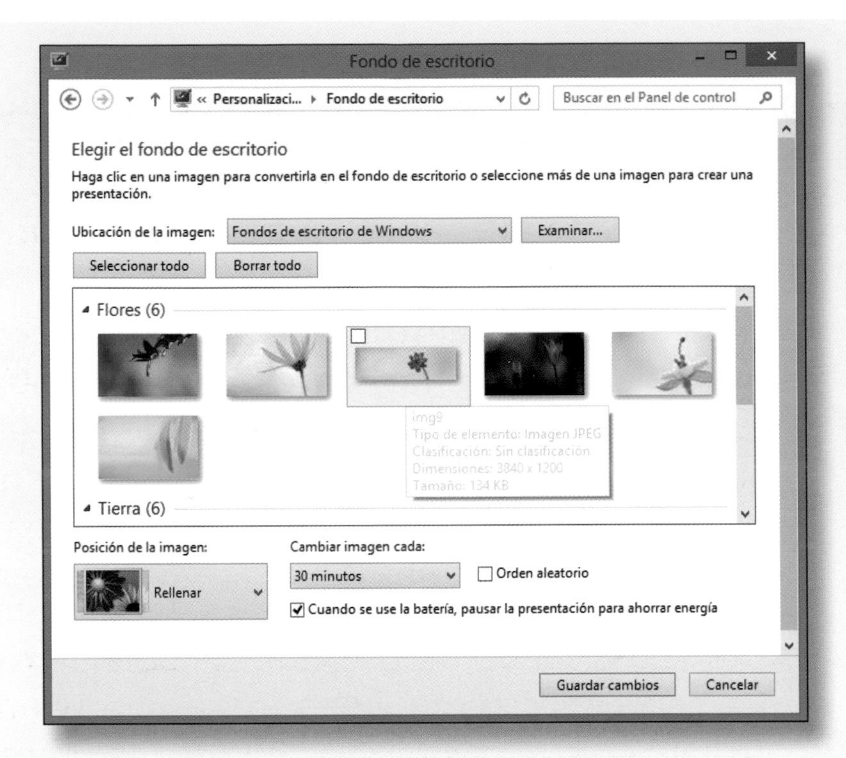

Figura 2.9. El cuadro Personalización permite modificar la apariencia de Windows 8.

6. En el cuadro Fondo de escritorio, haga clic sobre la flecha debajo de la opción Fondos de escritorio de Windows para desplegar la lista de fondos disponible. Puede elegir un fondo de Windows, un color sólido o, si tiene una imagen o fotografía almacenada en el equipo, puede ponerla como fondo de escritorio. En tal caso, seleccione en la lista desplegable la opción Biblioteca de imágenes.

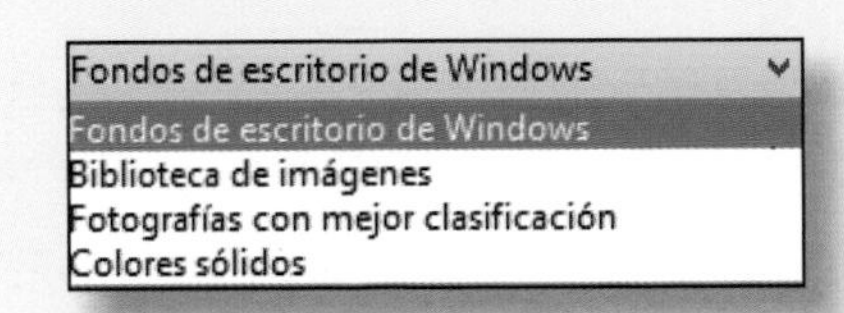

Figura 2.10. La lista desplegable Fondos de escritorio de Windows.

7. En la Biblioteca de imágenes, haga clic en la imagen o fotografía. Observe que, a medida que haga clic en una de las fotografías, el fondo del Escritorio se modificará para que pueda comprobar el resultado. Si selecciona más de una, aparecerán secuencialmente en forma de presentación.
8. Haga clic en **Guardar cambios** cuando encuentre la fotografía o imagen deseada o en **Cancelar** para dejar el fondo actual.

Truco: Si desea utilizar una imagen o fotografía como fondo de Escritorio, cópiela primero a la carpeta Mis imágenes, para que Windows la incluya en su Biblioteca de imágenes. Aprenderemos a copiar archivos en el capítulo siguiente.

El protector de pantalla

El protector de pantalla es una imagen o una animación que aparece en la pantalla del ordenador cuando se deja de utilizar unos minutos.

Su cometido consiste en evitar que se dañe la pantalla al mantener una imagen fija durante cierto tiempo.

El protector de pantalla se pone en marcha al cabo de cinco o diez minutos de no utilizar el ordenador y tiene un aspecto predeterminado, pero se puede modificar fácilmente. Véase la figura 2.11.

Figura 2.11. Configuración del protector de pantalla.

PRÁCTICA:

Cambie el protector de pantalla por otro personalizado.

1. Vuelva a abrir el cuadro Personalización, si lo ha cerrado.
2. Haga clic en la opción Protector de pantalla. Es la última opción de la derecha en la parte inferior del cuadro de diálogo.
3. En el cuadro Configuración del protector de pantalla, podrá ver el protector que su ordenador utiliza actualmente. Haga clic en la pequeña flecha abajo para desplegar la lista.
4. Haga clic en distintos protectores para ver el efecto en la pantalla de vista previa.
5. Haga clic en **Aceptar** para confirmar el cambio o en **Cancelar** para dejar el actual.

Truco: Si tiene fotografías en la carpeta Imágenes, puede hacer que Windows muestre una secuencia de imágenes como protector de pantalla. Para ello, haga clic en la opción Fotografías del cuadro de diálogo Configuración del protector de pantalla.

Cambiar el tamaño del texto y de otros elementos

Windows 8 ofrece opciones para cambiar el tamaño de todos los elementos de la pantalla o únicamente el del texto.

Puede utilizar estas opciones de manera permanente o bien, si no se ven completamente algunas pantallas o ventanas, utilizarla ocasionalmente y volver después al tamaño predeterminado.

PRÁCTICA:

Pruebe cambiar el tamaño del texto:

1. Haga clic con el botón derecho del ratón en cualquier lugar vacío del Escritorio y haga clic en la opción Personalizar.
2. En el cuadro de diálogo Personalización, haga clic en la opción Pantalla. Está situada en la lista de opciones de la izquierda.

Pantalla

3. En el cuadro de diálogo Pantalla, observe que está activado el botón de opción Más pequeño, con el 100 por ciento del tamaño. Haga clic en otro de los botones de opción y observe el resultado en la Vista previa. Según el modelo de monitor que tenga, dispondrá de más o menos opciones.
4. Para cambiar el tamaño del texto, haga clic en Barras de título para desplegar la lista y seleccione otra opción. Haga clic en la casilla Negrita para que el texto aparezca siempre en negrita.
5. Haga clic en **Aplicar** para cambiar el tamaño.

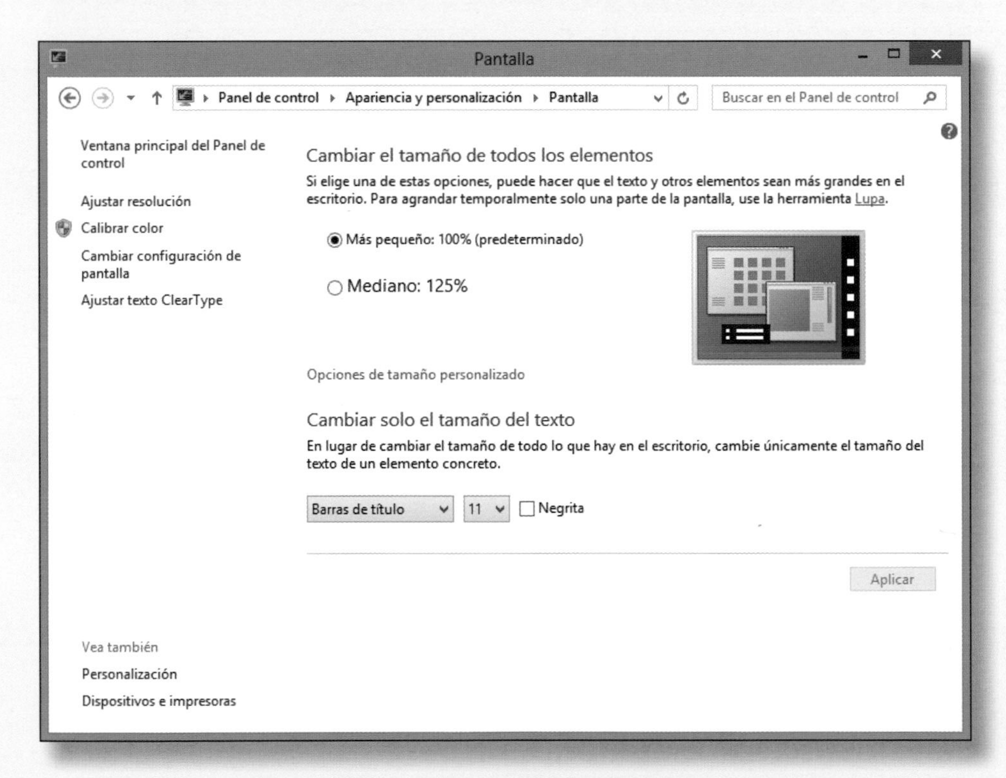

Figura 2.12. Cambie el tamaño del texto y de algunos elementos de la pantalla.

LOS ICONOS DEL ESCRITORIO

En el capítulo anterior, hemos visto iconos de acceso directo que algunos programas han creado en el Escritorio.

También podemos crear iconos de los documentos y carpetas más habituales, para acceder a ellos más rápidamente.

PRÁCTICA:

Si dispone de un documento, ya sea un texto, una hoja de cálculo, un archivo de música o vídeo o una imagen, ahora puede crear un acceso directo para él en el Escritorio.

1. Haga clic en el mosaico Escritorio.
2. Haga clic en el botón del Explorador de archivos en la barra de tareas.
3. Localice la carpeta en la ventana izquierda del Explorador.
4. Haga clic en la carpeta que contiene el archivo, para abrirla. El archivo pasará entonces a la ventana de la derecha.
5. Haga clic sobre el archivo, esta vez con el botón derecho del ratón.
6. Cuando se despliegue el menú contextual, haga clic en Enviar a>Escritorio (crear acceso directo). Véase la figura 2.13.
7. A partir de ese momento, podrá abrir el archivo haciendo doble clic en su icono del Escritorio.

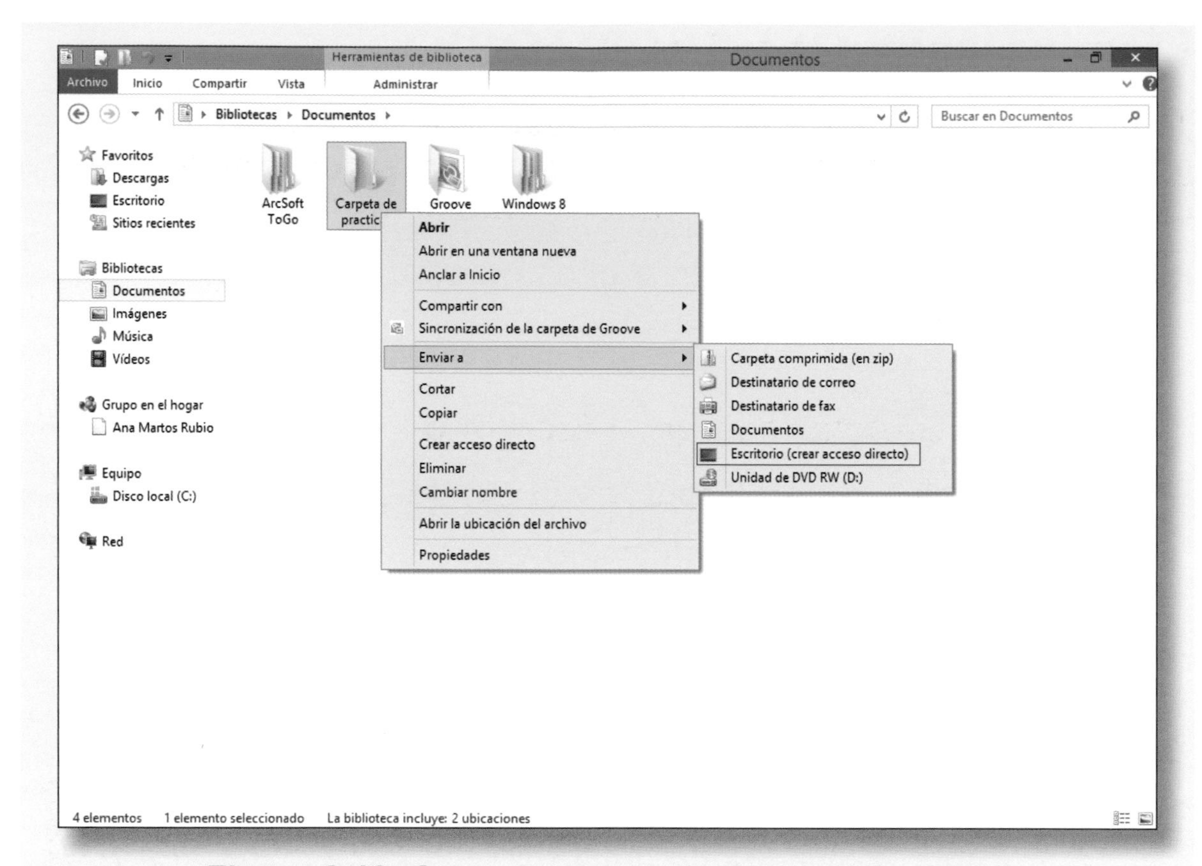

Figura 2.13. Cree un acceso directo en el Escritorio para un documento o archivo.

Truco: También se puede crear un icono de acceso directo en el Escritorio, haciendo clic con el botón derecho sobre la carpeta, documento o imagen seleccionado en la ventana derecha del Explorador de archivos y arrastrándolo al Escritorio. Aparecerá un menú en el que debe elegir la opción Crear iconos de acceso directo aquí.

Crear carpetas en el Escritorio

También es posible crear carpetas vacías en el Escritorio para guardar en ellas, arrastrándolos, los documentos, imágenes u otro tipo de archivos con los que se trabaje habitualmente.

PRÁCTICA:

Cree una carpeta vacía en el Escritorio.

1. Haga clic con el botón derecho del ratón en una zona en blanco del Escritorio.
2. En el menú contextual, haga clic en Nuevo y en el submenú, haga clic en Carpeta.
3. Observe que aparece un nuevo icono en el escritorio con el nombre de Nueva carpeta. Está seleccionado y el nombre aparece de color azul, con el texto centrado. Eso indica que puede escribir encima un nombre con el que reemplazar el de Nueva carpeta.
4. Escriba el nombre de la carpeta y pulse la tecla **Intro**.
5. Para colocar documentos o imágenes en la carpeta creada, haga clic sobre ellos con el botón derecho del ratón, en el Explorador de archivos, y arrástrelos a la carpeta del Escritorio. Podrá elegir en el menú copiarlos o moverlos.

Nota: El Escritorio de Windows no es más que otra carpeta del sistema. Tiene la ventaja de que su contenido está siempre visible.

3

ORGANIZACIÓN DEL TRABAJO

El trabajo se organiza en Windows dentro de carpetas situadas a su vez dentro de otras carpetas. Hay una carpeta principal, dentro de la cual hay subcarpetas que a su vez contienen programas, archivos o bien otras carpetas. Esa estructura se llama "árbol de carpetas".

LAS BIBLIOTECAS DE WINDOWS 8

Windows 8 llama bibliotecas a las carpetas principales que contienen subcarpetas, documentos o archivos. En la figura 3.1 puede ver la biblioteca Documentos que contiene carpetas con los documentos creados. En la figura 3.3 puede que ver la biblioteca Imágenes contiene dos subcarpetas y varios archivos de imagen.

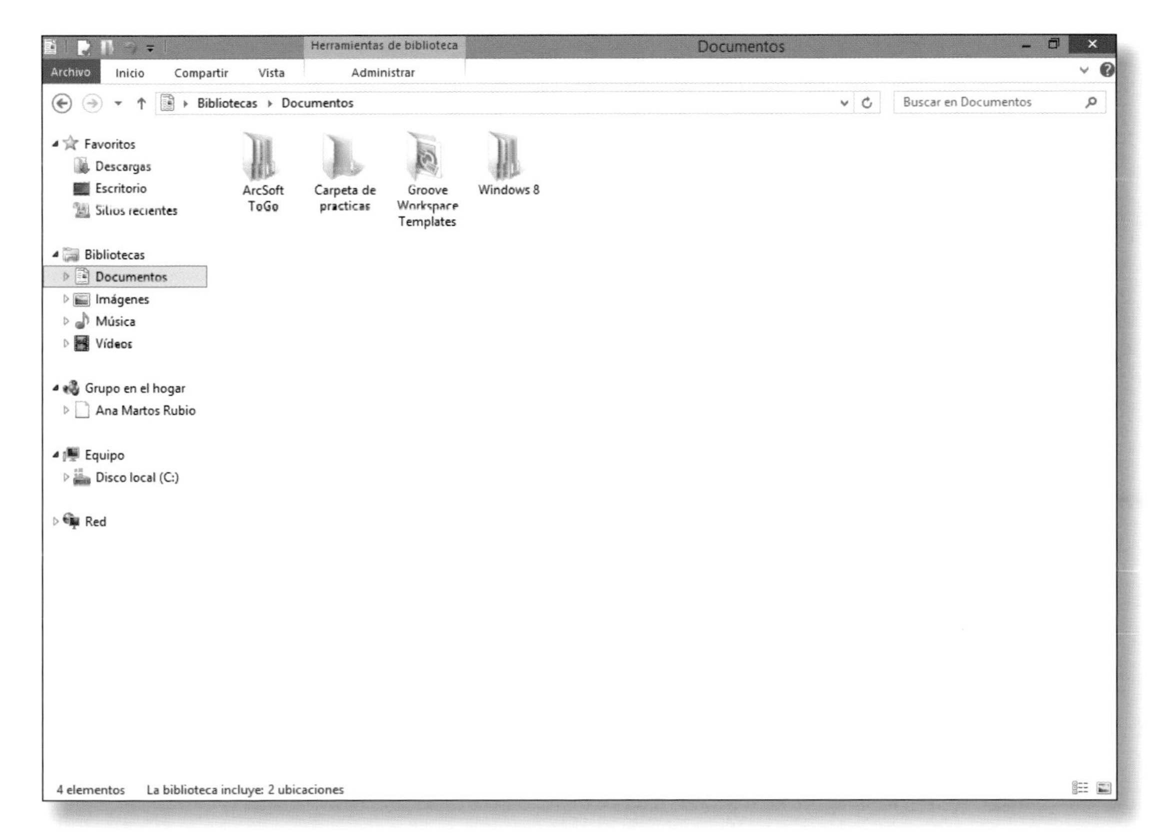

Figura 3.1. Las bibliotecas de Windows 8.

Al instalarse, Windows 8 crea una carpeta personal para cada usuario y, dentro de ella, crea subcarpetas para documentos, imágenes, música, programas y vídeos, a las que denomina Mis documentos, Mis imágenes, Mi música y Mis vídeos. A la hora de buscar un documento, una imagen, un archivo sonoro o una película, también acude a estas carpetas.

Nota: Lógicamente, podemos guardar los documentos, las imágenes o bien la música en las carpetas que nos convenga, creándolas a nuestro gusto y ordenando a Windows que coloque allí nuestros archivos. Pero, para Windows 8, los archivos deben formar parte de la biblioteca correspondiente. De otro modo, no los encuentra y no aparecen en los respectivos mosaicos. Solamente se pueden localizar utilizando el Explorador de archivos.

EL EXPLORADOR DE ARCHIVOS

Hemos visto el Explorador de archivos en los capítulos anteriores. Aprenderemos ahora la forma de copiar archivos de soportes externos a las diferentes bibliotecas para poderlos visualizar y reproducir a través de los mosaicos.

Observe la figura 3.2. La ventana del Explorador de archivos tiene dos zonas. En la zona de la izquierda aparecen las carpetas. Las que están a la izquierda son las carpetas principales. Los contenidos se muestran en la zona de la derecha. Observe las carpetas personales que ha creado Windows: Mis documentos, Mis imágenes, Mi música y Mis vídeos.

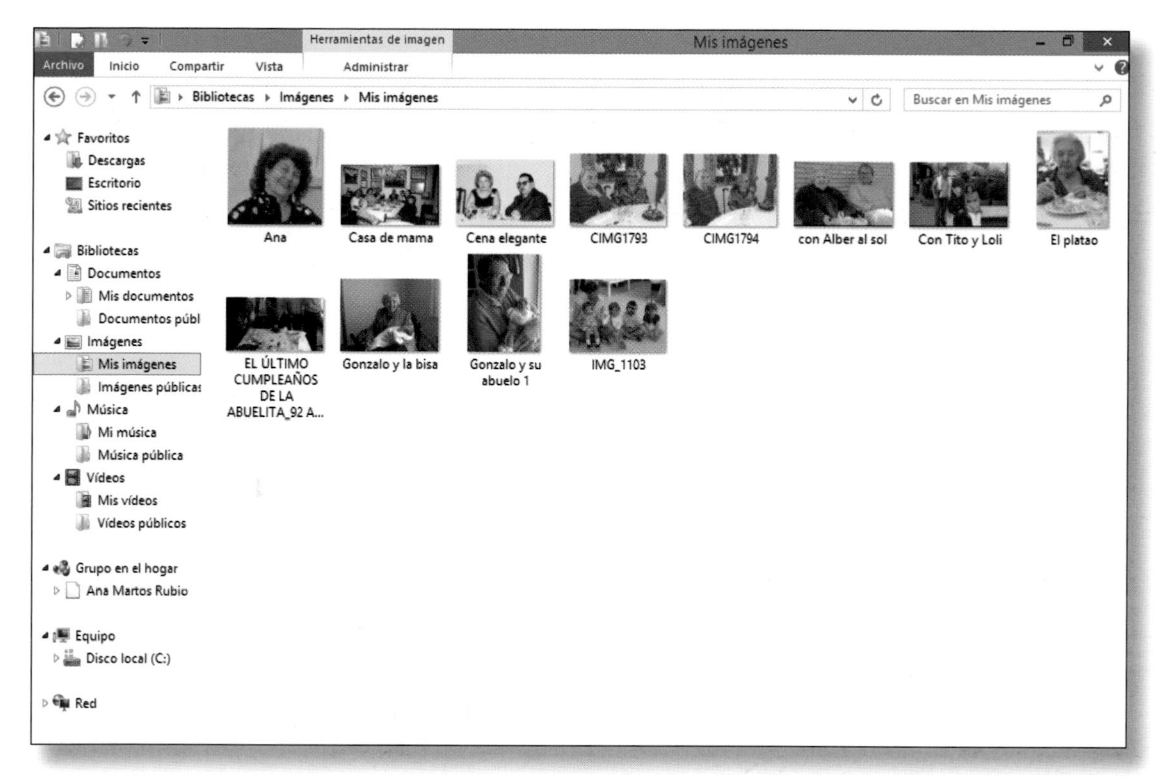

Figura 3.2. Las carpetas personales del Explorador de archivos.

PRÁCTICA:

Conozca las diferentes vistas que ofrece Windows 8:

1. En el Escritorio, haga clic en el botón **Explorador de archivos** en la barra de tareas.
2. Haga clic en la carpeta Imágenes. Cuando las subcarpetas que contienen las imágenes pasen a la ventana de la derecha, haga doble clic en Mis imágenes. Aprenderemos a copiar imágenes y fotografías en un próximo epígrafe.
3. El Explorador de archivos mostrará en la parte superior la cinta de opciones con la ficha Herramientas de imagen que contienen opciones

para manejar esos contenidos. Haga clic en la ficha Herramientas de imagen y después en la opción Vista para abrirlas.

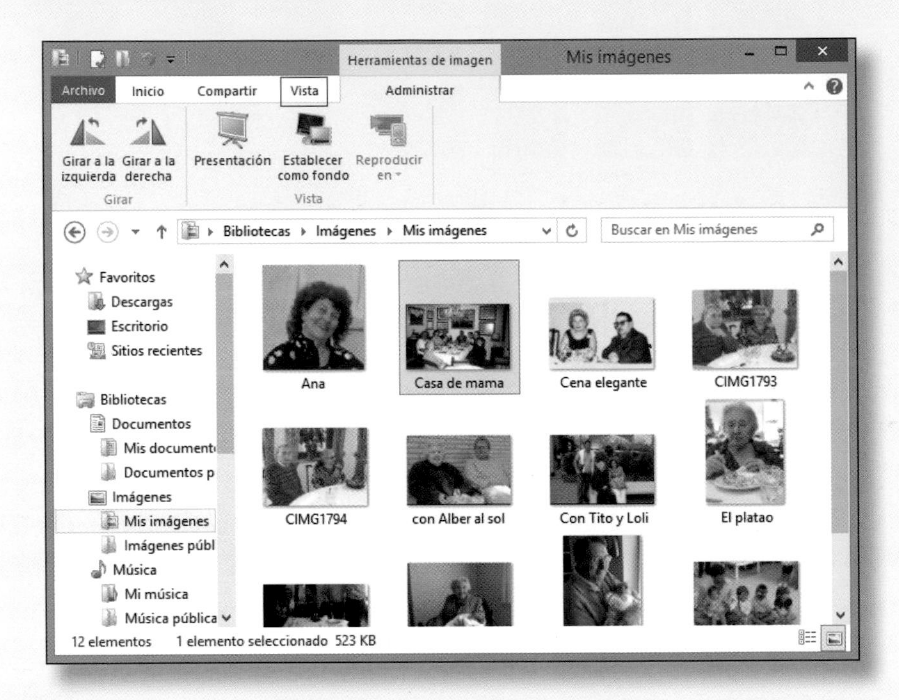

Figura 3.3. Las Herramientas de imagen y la opción Vista.

4. Pruebe las diferentes vistas haciendo clic en cada casilla. Según el tipo de archivos que desee ver, una vista le resultará más práctica que otra. Por ejemplo, la vista Iconos muy grandes es excelente para localizar fotografías. La vista Detalles muestra el nombre, fecha de modificación, tipo, tamaño, etc., de cada archivo.

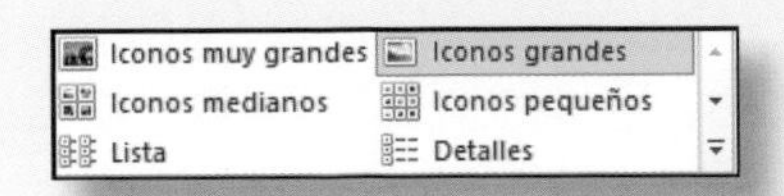

Figura 3.4. Las vistas de Windows 8.

Crear una carpeta

El procedimiento es el mismo que seguimos en el capítulo anterior para crear y renombrar una carpeta en el Escritorio.

PRÁCTICA:

Cree una nueva carpeta dentro de la carpeta Documentos.

1. Haga clic en el botón del Explorador de archivos en la barra de tareas, para abrir la ventana.
2. Haga clic sobre la carpeta Documentos para seleccionarla.
3. Haga clic en la opción Nueva carpeta, en la ficha Inicio. Si esta ficha no estuviera visible, haga clic en la pestaña Inicio para activarla.

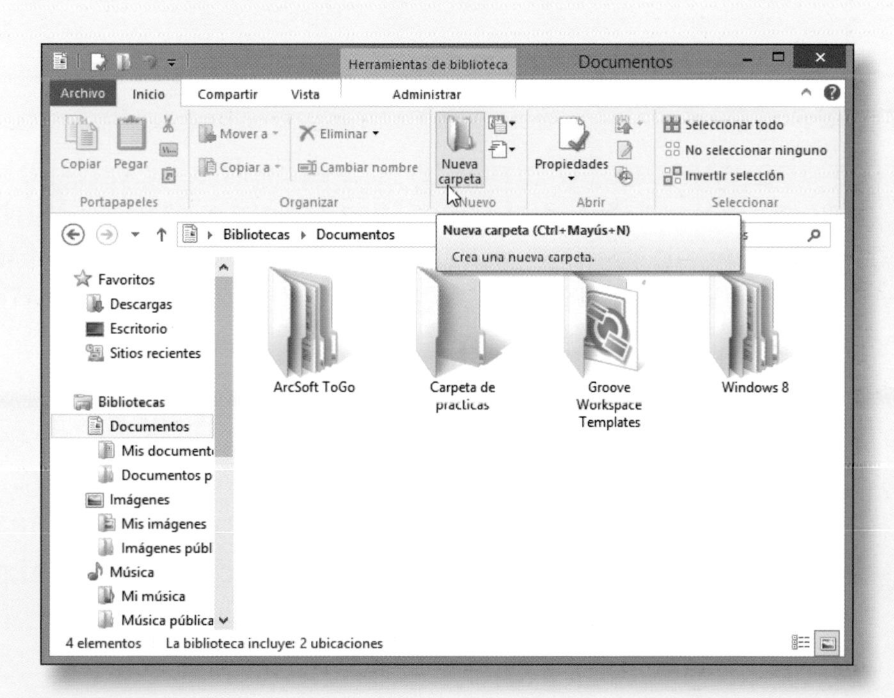

Figura 3.5. La opción Nueva carpeta en la ficha Inicio.

Nota: La nueva carpeta se llama así, Nueva carpeta. El nombre aparece en la ventana derecha del Explorador de archivos, seleccionado y de color azul. Ahora puede escribir el nombre que desee y pulsar la tecla **Intro** para validar el nuevo nombre.

Truco: También puede cambiar el nombre haciendo clic sobre la carpeta con el botón derecho del ratón y seleccionando Cambiar nombre en el menú contextual, igual puede cambiar el nombre de las carpetas del Escritorio.

Borrar una carpeta

Para borrar una carpeta solamente hay que hacer clic sobre ella y pulsar la tecla **Supr** del teclado. También se puede hacer clic con el botón derecho del ratón y seleccionar la opción Eliminar en el menú contextual o hacer clic en la opción Eliminar de la ficha Inicio.

Advertencia: Generalmente, Windows 8 no confirma la intención del usuario de eliminar un objeto, sino que lo elimina directamente al pulsar la tecla **Supr** o hacer clic en Eliminar. Si elimina algo por error, recuerde que podrá recuperarlo de la Papelera de reciclaje, que veremos más adelante.

Copiar un archivo a una carpeta

Para copiar un archivo a una carpeta, hay que seleccionar la carpeta de destino en la zona izquierda de la ventana del Explorador de archivos y situar el archivo a copiar en la zona de la derecha. Después, hay que arrastrar el archivo sobre la carpeta.

Es preciso que queden visibles el archivo o carpeta de origen, en la ventana de la derecha, y la carpeta de destino, en la ventana de la izquierda.

PRÁCTICA:

Copie una fotografía de un disco o memoria externos (CD o lápiz de memoria) a la carpeta Mis imágenes. De la misma forma, puede copiar un clip de vídeo a la carpeta Mis vídeos, un archivo sonoro en formato Mp3 a la carpeta Mi música o un documento a la carpeta Mis documentos.

1. Inserte el CD, DVD o el lápiz de memoria. El Explorador de archivos mostrará la ficha Herramientas de unidad, con opciones para el manejo de la unidad de CD, DVD, lápiz de memoria, etc.
2. En la ventana de la izquierda, haga clic en la carpeta que contiene la fotografía para seleccionarla y mostrar el contenido en la zona derecha. Si la foto está dentro de una subcarpeta, haga clic para abrirla hasta que vea la fotografía o fotografías en la ventana de la derecha, como muestra la figura 3.6.
3. Compruebe que la barra de direcciones del Explorador muestra la ruta completa de acceso a la carpeta. En la figura 3.6, la ruta del lápiz de memoria es:

Fotos (la carpeta principal)\Familia (la subcarpeta que contiene fotos familiares)\Fotos antiguas (la subcarpeta que contiene fotos familiares antiguas). Observe también que, como está seleccionada una de las fotografías, la cinta de opciones situada en la parte superior del Explorador de archivos exhibe ahora la ficha Herramientas de imagen.

Figura 3.6. Las fotografías en el lápiz de memoria.

4. Haga clic en la fotografía a copiar y arrástrela sin soltar el ratón hasta depositarla sobre la carpeta Mis imágenes en la zona izquierda del Explorador de archivos. Mientras arrastra, podrá ver una etiqueta que indica "Copiar a Mis imágenes". Puede verla en la figura 3.7.
5. Una vez copiada, puede verla en la Biblioteca de imágenes. Pulse la tecla **Windows** para pasar a los mosaicos.

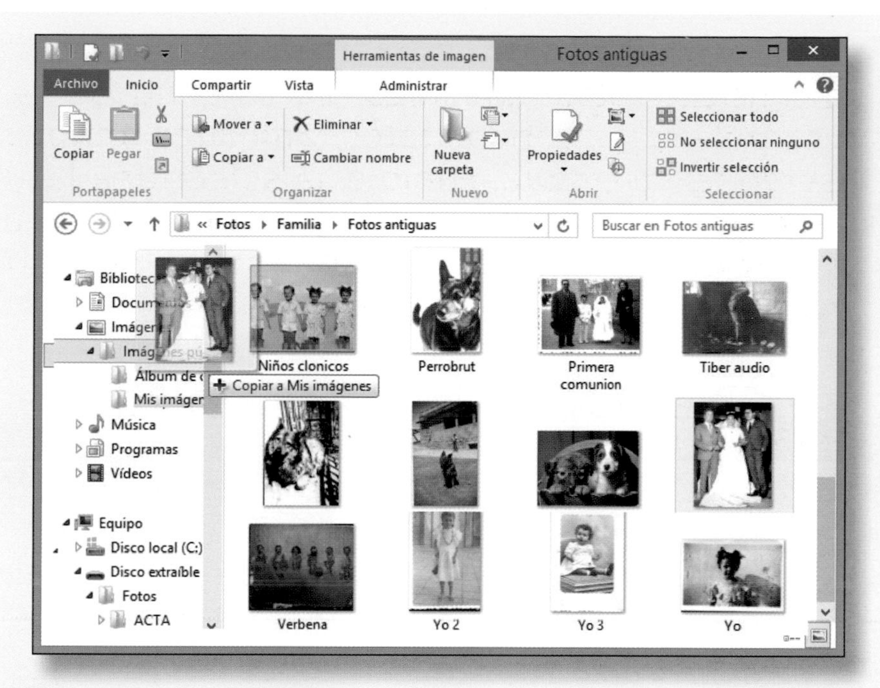

Figura 3.7. Al arrastrar un documento sobre una carpeta, aparece la etiqueta informativa.

6. Haga clic en el mosaico Fotos.
7. Haga clic en Biblioteca de imágenes. Si no se ven los álbumes de imágenes, haga clic con el botón derecho del ratón en la parte inferior de la ventana.
8. Haga clic en la barra de desplazamiento horizontal y arrástrela hacia la derecha para ver todas las fotografías. Cuando encuentre la que ha copiado, haga doble clic para verla en tamaño grande. Véase la figura 3.8.
9. Si tiene más fotografías en la Biblioteca de imágenes, haga clic con el botón derecho del ratón en la parte inferior de la pantalla para ver el menú de opciones. Haga clic sobre Presentación para poder ver todas sus fotografías.

Presentación

Figura 3.8. La fotografía antigua aparece en la Biblioteca de imágenes.

Recuerde que si copia archivos sonoros en formato Mp3 al disco duro, deberá copiarlos a la carpeta Mi música para que Windows 8 los agregue a la Biblioteca de música. Si copia clips de vídeo o películas, deberá copiarlos a Mis vídeos. Después podrá visualizarlos y reproducirlos haciendo clic en el mosaico correspondiente. Las fotografías aparecerán distribuidas en los distintos álbumes y carpetas.

Mover un archivo o carpeta

La diferencia entre mover y copiar es que la opción Mover traslada el archivo o carpeta a otro lugar, con lo que el original desaparece, mientras que Copiar coloca una copia en el destino, manteniendo el original.

Figura 3.9. La Biblioteca de imágenes las muestra por álbumes y carpetas.

PRÁCTICA:

Pruebe a mover la carpeta Nueva carpeta que creamos anteriormente dentro de la carpeta Documentos. Es probable que le haya cambiado el nombre.

1. Haga clic en Documentos.
2. Haga clic, esta vez con el botón derecho del ratón, en la carpeta creada, en la zona de la derecha, y arrástrela sobre la carpeta Mis vídeos, en la zona de la izquierda.
3. Suelte el botón del ratón y haga clic, ahora con el botón izquierdo, en la opción Mover aquí, del menú contextual.

4. La nueva carpeta que creamos anteriormente habrá desaparecido de la carpeta original, Documentos.

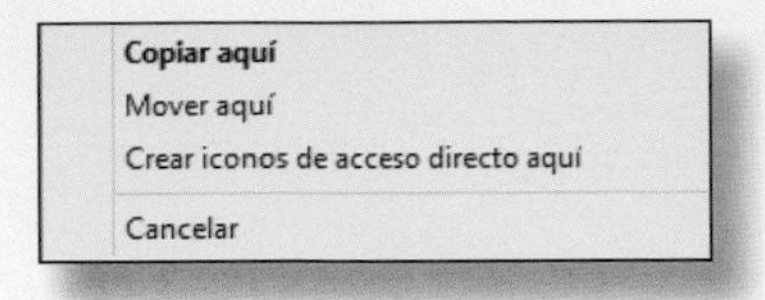

Figura 3.10. Mover una carpeta significa eliminarla de su posición original.

Truco: Recuerde que puede utilizar los botones **Atrás** y **Adelante** de la ventana del Explorador de archivos para regresar a la posición anterior o bien volver a una posición dejada atrás.

EL PORTAPAPELES DE WINDOWS

El Portapapeles es una zona del disco duro en la que Windows permite copiar cualquier cosa, de cualquier clase y prácticamente de cualquier tamaño, puesto que su capacidad depende de la del disco duro. Una vez copiado un elemento al Portapapeles, se puede pegar en cualquier otro lugar. Pero solamente puede haber un elemento en el Portapapeles. Al copiar otro, se borra el anterior.

Copiar, cortar y pegar

Los comandos Copiar y Pegar tienen el mismo efecto que arrastrar. Cortar y Pegar tienen el mismo efecto que mover.

Puede copiar, cortar y pegar varios objetos a la vez seleccionándolos previamente.

PRÁCTICA:

Pruebe a copiar al Portapapeles la fotografía anterior.

1. Haga doble clic en la carpeta Mis imágenes. Cuando la fotografía aparezca en la zona derecha de la ventana del Explorador de archivos, haga clic sobre ella para seleccionarla.
2. Haga clic en la ficha Inicio de la cinta de opciones si no está visible. Haga clic en Copiar. Está marcado en la figura 3.11, en la sección Portapapeles. La imagen quedará copiada en el Portapapeles. Desde ahí, puede pegarla en donde desee, tantas veces como desee.

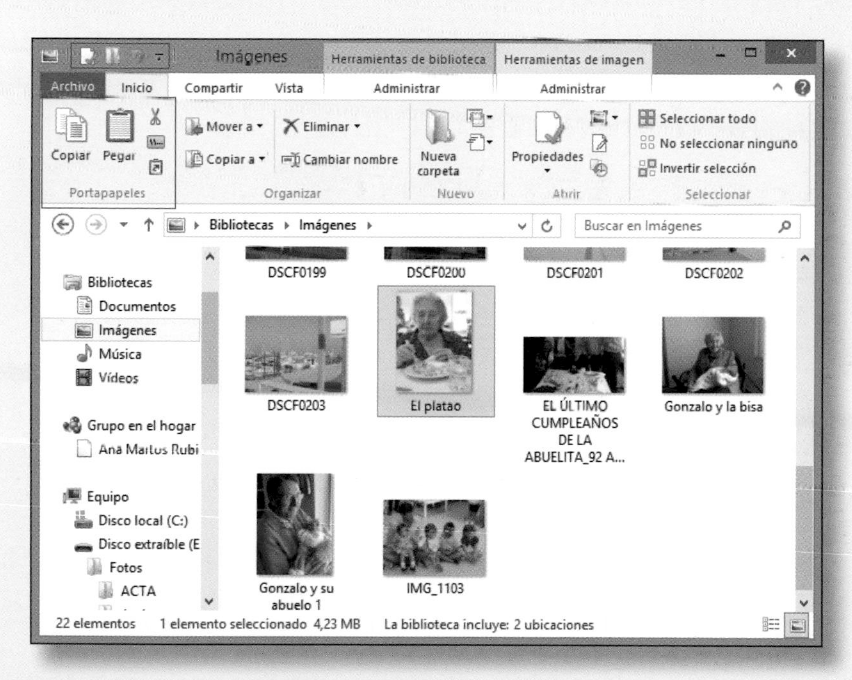

Figura 3.11. La ficha Inicio tiene opciones para copiar, cortar y pegar objetos, empleando el Portapapeles de Windows.

3. Seleccione otra carpeta y haga clic en Pegar. Puede pegarla cuantas veces quiera. Si no selecciona nada, Windows la pegará en la ventana derecha del Explorador.
4. Pruebe ahora a seleccionar una de las copias de la fotografía y haga clic en Cortar, que tiene forma de tijera. La imagen desaparecerá y quedará en el Portapapeles. Puede pegarla tantas veces como lo desee hasta que copie o corte otro objeto y reemplace con él la fotografía del Portapapeles.

LA BARRA DE INICIO RÁPIDO

La barra de inicio rápido se halla situada sobre la cinta de opciones del Explorador de archivos. Contiene algunos comandos, pero se puede personalizar para agregarle nuevos comandos que se utilicen con frecuencia y tenerlos siempre a mano o bien, eliminar comandos innecesarios. Puede verla en la parte superior izquierda de la figura 3.l1.

PRÁCTICA:

Agregue un comando a la barra de inicio rápido:

1. Haga clic en la pequeña flecha abajo de la barra de inicio rápido para desplegar el menú. Está señalada en la figura 3.12.
2. Haga clic en un comando del menú que no tenga marca, por ejemplo, Rehacer. Se agregará a la barra de inicio rápido.
3. Si quiere eliminar un comando de la barra, haga clic en el menú para quitar la marca de ese comando.

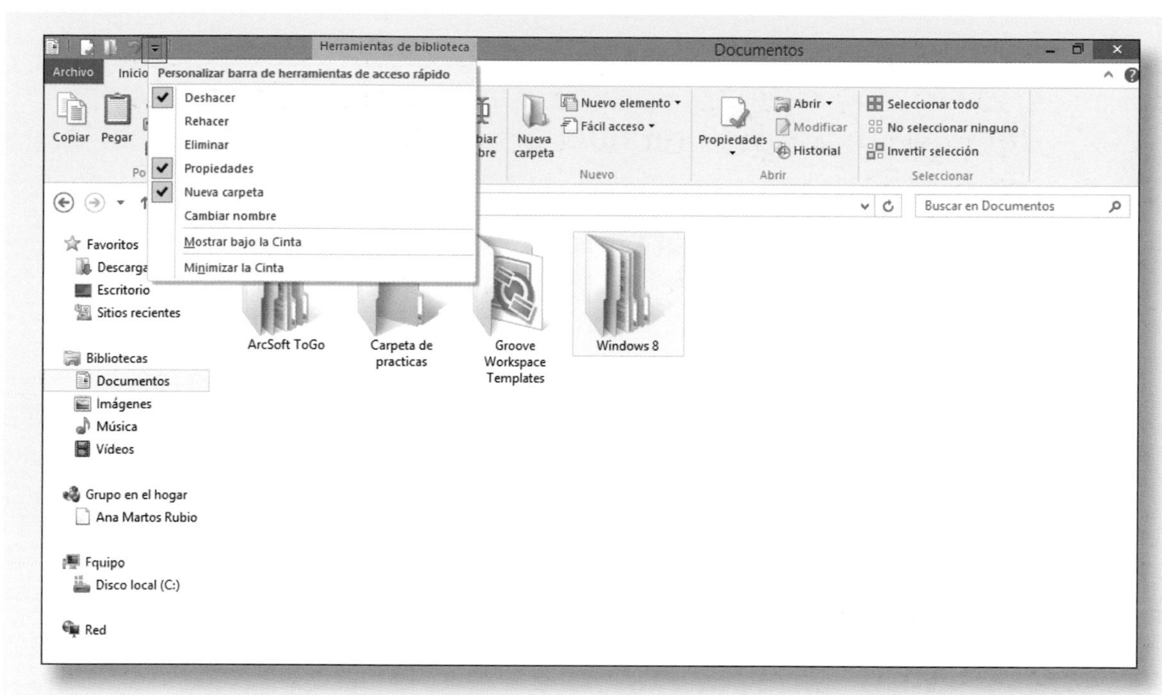

Figura 3.12. La flecha y el menú para personalizar la barra de inicio rápido.

Deshacer y Rehacer

El comando Deshacer permite volver atrás en la última acción realizada, es decir, deshace el último cambio. Lo encontrará en la barra de inicio rápido y está señalado en la figura 3.13. El comando Rehacer rehace el último cambio. Lo hemos agregado a la barra de inicio rápido.

PRÁCTICA:

En las prácticas anteriores, hemos creado una nueva carpeta y la hemos movido a la carpeta Mis vídeos. Probaremos ahora a eliminarla y a recuperarla de dos maneras.

1. Haga clic en Mis vídeos. Si la nueva carpeta que creamos no está ahí, puede que la encuentre en Mis documentos. Cree una nueva si no consigue localizarla.
2. Haga clic en la nueva carpeta que tendrá ese nombre, Nueva carpeta, y después haga clic en el comando Eliminar de la ficha Inicio. Si lo prefiere, pulse la tecla **Supr**.
3. La nueva carpeta ha desaparecido. Haga clic en el comando Deshacer para recuperar la carpeta.
4. Haga clic ahora en el comando Rehacer para volver a eliminar la carpeta. Esta vez la recuperaremos de la Papelera de reciclaje.

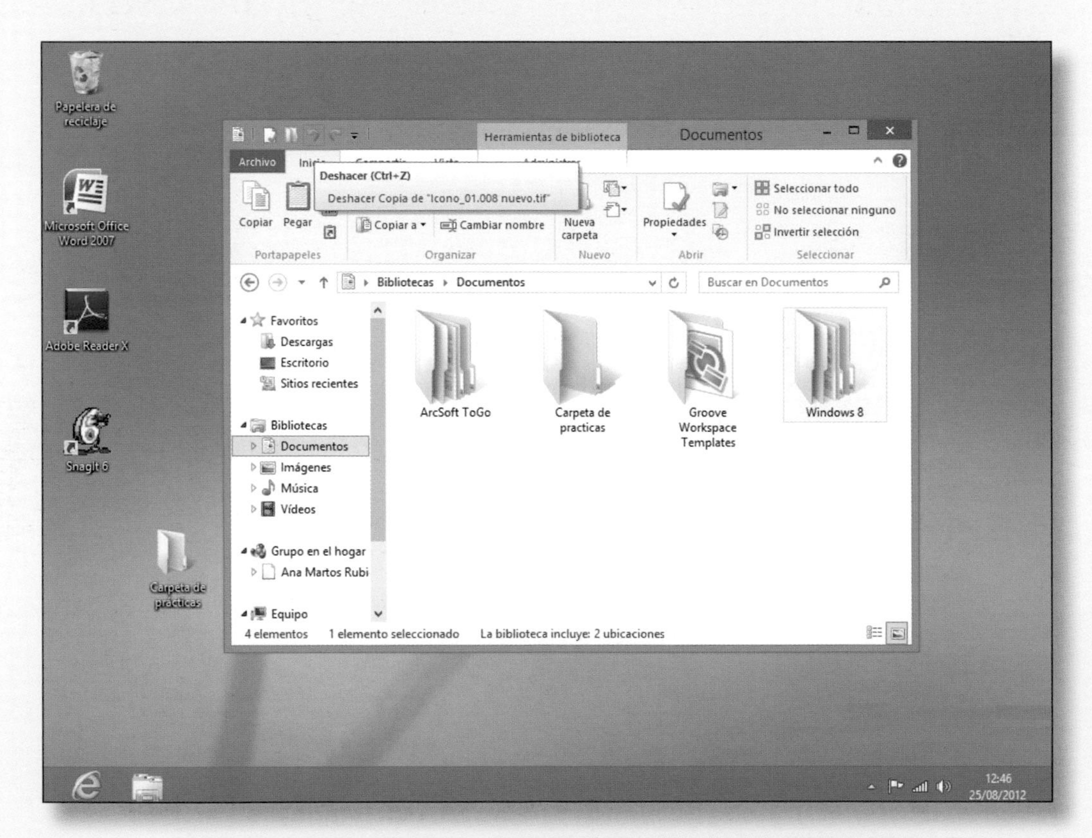

Figura 3.13. Los comandos Deshacer y Rehacer en la barra de inicio rápido.

La Papelera de reciclaje

Cuando se elimina un objeto, Windows no lo borra definitivamente, sino que lo envía a la Papelera de reciclaje. La Papelera es una zona del disco duro en la que Windows guarda los objetos que se borran hasta que el usuario da orden de vaciarla. Entonces es cuando se eliminan totalmente.

Advertencia: Es importante recordar que solamente van a la Papelera de reciclaje los objetos que se borren del disco duro, no los que se borren de dispositivos extraíbles como los lápices de memoria. Si borra algo de un lápiz de memoria, no podrá recuperarlo.

PRÁCTICA:

Ahora puede recuperar la carpeta borrada.

1. Haga doble clic en el icono Papelera de reciclaje, en el Escritorio.
2. Localice la carpeta Nueva carpeta en la zona de la derecha. Todo lo que se encuentre en esa zona serán elementos que haya borrado previamente.
3. Haga clic, esta vez con el botón derecho del ratón, sobre Nueva carpeta.
4. En el menú contextual, haga clic (con el botón izquierdo) en la opción Restaurar.

5. Observe que la carpeta desaparece de la Papelera y vuelve a su lugar de origen.

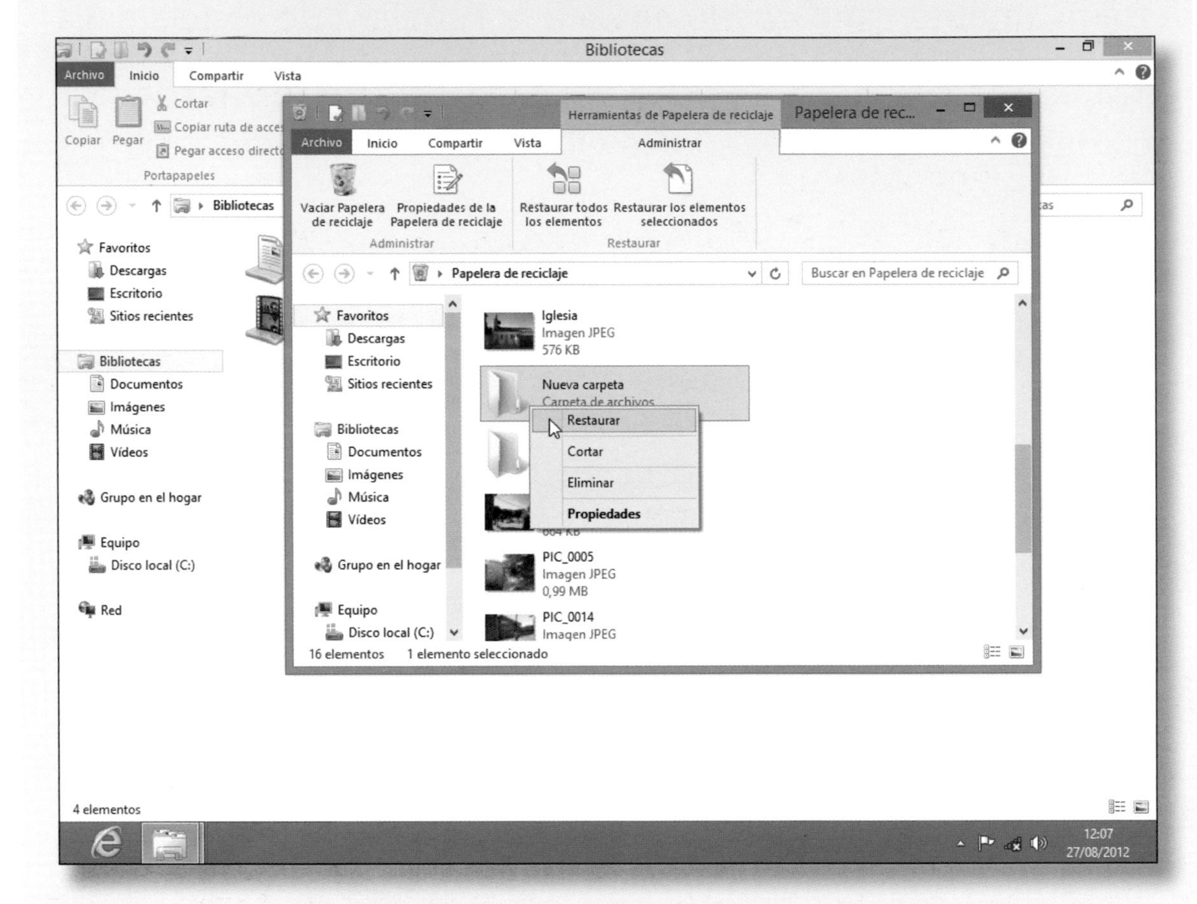

Figura 3.14. La opción Restaurar permite recuperar un archivo borrado.

Conviene vaciar de vez en cuando la Papelera, porque su contenido ocupa espacio en el disco duro. Recuerde que, una vez vacía, nunca podrá recuperar su contenido. Antes de vaciarla, asegúrese de que no hay contenidos que le interesen. Si quiere restaurar más de uno, recuerde que los puede seleccionar pulsando la tecla **Control** y haciendo clic en cada uno de ellos. Una vez seleccionados, haga clic con el botón derecho en la selección y seleccione Restaurar en el menú.

PRÁCTICA:

Vacíe la Papelera de reciclaje.

1. Haga clic sobre ella con el botón derecho del ratón y seleccione la opción Vaciar Papelera de reciclaje en el menú contextual.
2. Haga clic en **Sí** cuando Windows pida confirmación.

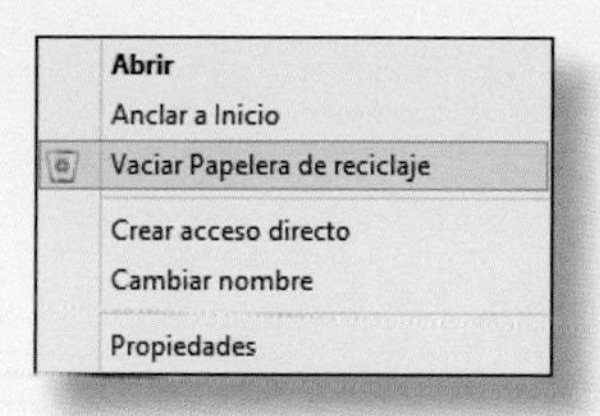

Figura 3.15. El menú de la Papelera de reciclaje.

LAS CARPETAS COMPRIMIDAS

Muchos de los archivos que se descargan de Internet están comprimidos y es preciso descomprimirlos. Por otra parte, a veces nos interesará comprimir nuestros archivos antes de enviarlos por correo electrónico, para que el envío tarde menos y no se sature el buzón de correo del destinatario. Los archivos, una vez comprimidos con Windows, llevan la extensión .zip.

PRÁCTICA:

Pruebe a comprimir la carpeta Nueva carpeta.

1. Localice la carpeta con el Explorador de archivos.
2. Haga clic sobre ella con el botón derecho del ratón para abrir el menú contextual.

3. Haga clic en la opción Enviar a>Carpeta comprimida (en zip).
4. Windows creará un archivo con la terminación .zip, en el mismo lugar en el que se encuentre el archivo original.

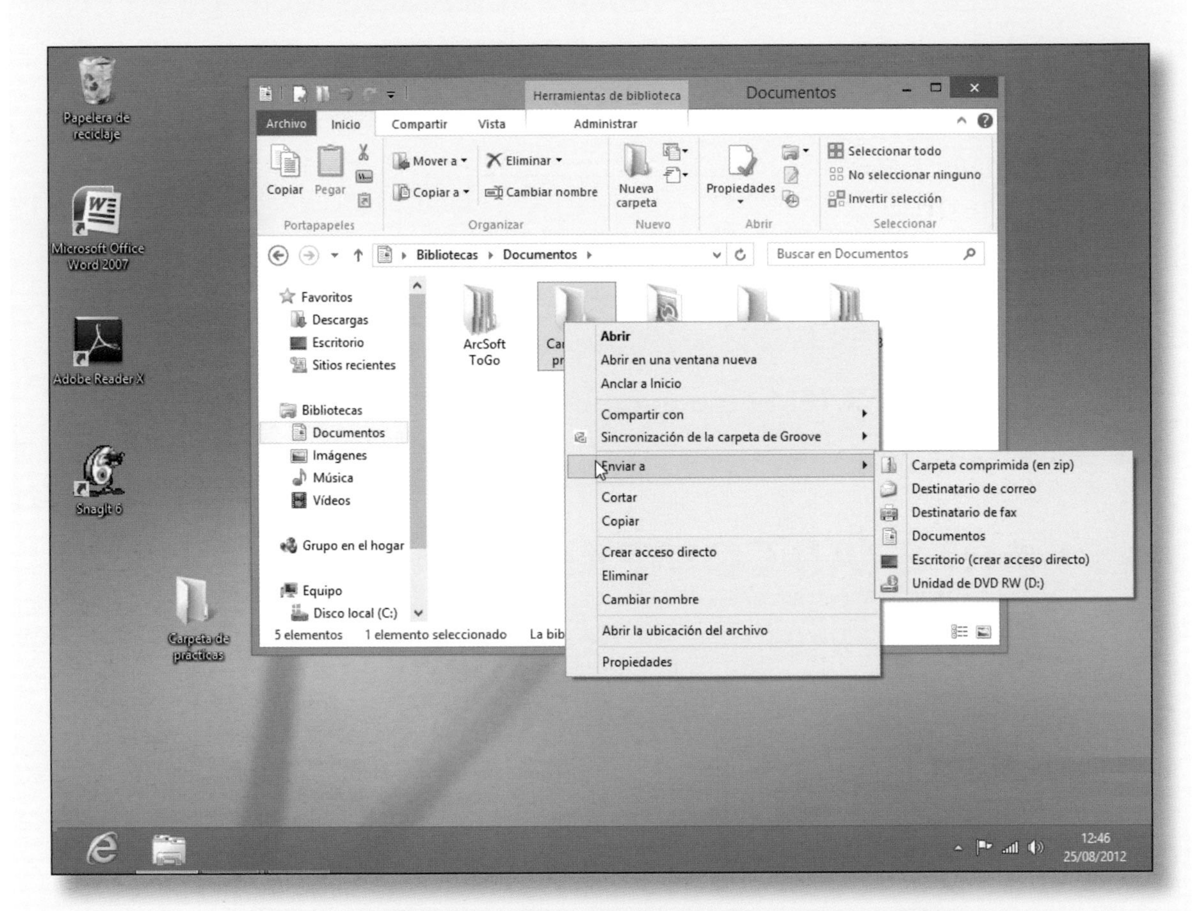

Figura 3.16. El menú contextual con la opción para comprimir carpetas.

También es posible comprimir varios archivos en un solo archivo zip. Solamente hay que seleccionarlos, como hemos visto anteriormente, y después hacer clic con el botón derecho del ratón sobre la selección y después seleccionar Enviar a> Carpeta comprimida (en zip), en el menú contextual.

Descomprimir carpetas y archivos

Si recibe una carpeta o un archivo comprimido en zip, por ejemplo, por correo electrónico, puede descomprimirlo de la forma siguiente:

PRÁCTICA:

Aprenda a extraer los archivos de una carpeta comprimida.

1. Haga clic con el botón derecho del ratón sobre el archivo o carpeta.
2. Seleccione en el menú contextual Extraer ficheros o Extraer aquí. Windows extraerá el archivo o archivos comprimidos en el mismo lugar en el que se encuentre el archivo o carpeta zip.

4

El trabajo con Windows 8

Windows 8 ofrece numerosos recursos y herramientas que facilitan el trabajo. Veamos algunos.

LAS APLICACIONES

Windows 8 llama aplicaciones a los programas instalados, ya se trate de programas que incorpora el propio sistema operativo, como el Bloc de notas o la Grabadora de sonidos, o bien programas instalados por el usuario.

Buscar una aplicación

Windows contiene numerosas aplicaciones prácticas y sencillas. Si va a utilizar alguna con frecuencia, por ejemplo, WordPad o Paint, puede situarlas en la pantalla Inicio. Veremos estas y otras aplicaciones de Windows en los capítulos siguientes.

Truco: Si ha instalado Windows 8 como actualización de una versión anterior, por ejemplo, Windows 7, tendrá que volver a instalar muchos de los programas que tuviera anteriormente, porque Windows 8 los habrá desinstalado si ha detectado problemas de incompatibilidad. Pero no los habrá eliminado de su ordenador. Los encontrará en la carpeta Windows.old.Para acceder a ella, ponga en marcha el Explorador de archivos y haga clic en Disco local (C:) (normalmente será el disco C: pero puede ser D: u otro). Haga clic en Windows.old y encontrará sus programas. Podrá reinstalar desde esa carpeta los que tengan programa de instalación, Instalar.exe o Setup.exe. De lo contrario, tendrá que insertar el disco de instalación de cada programa.

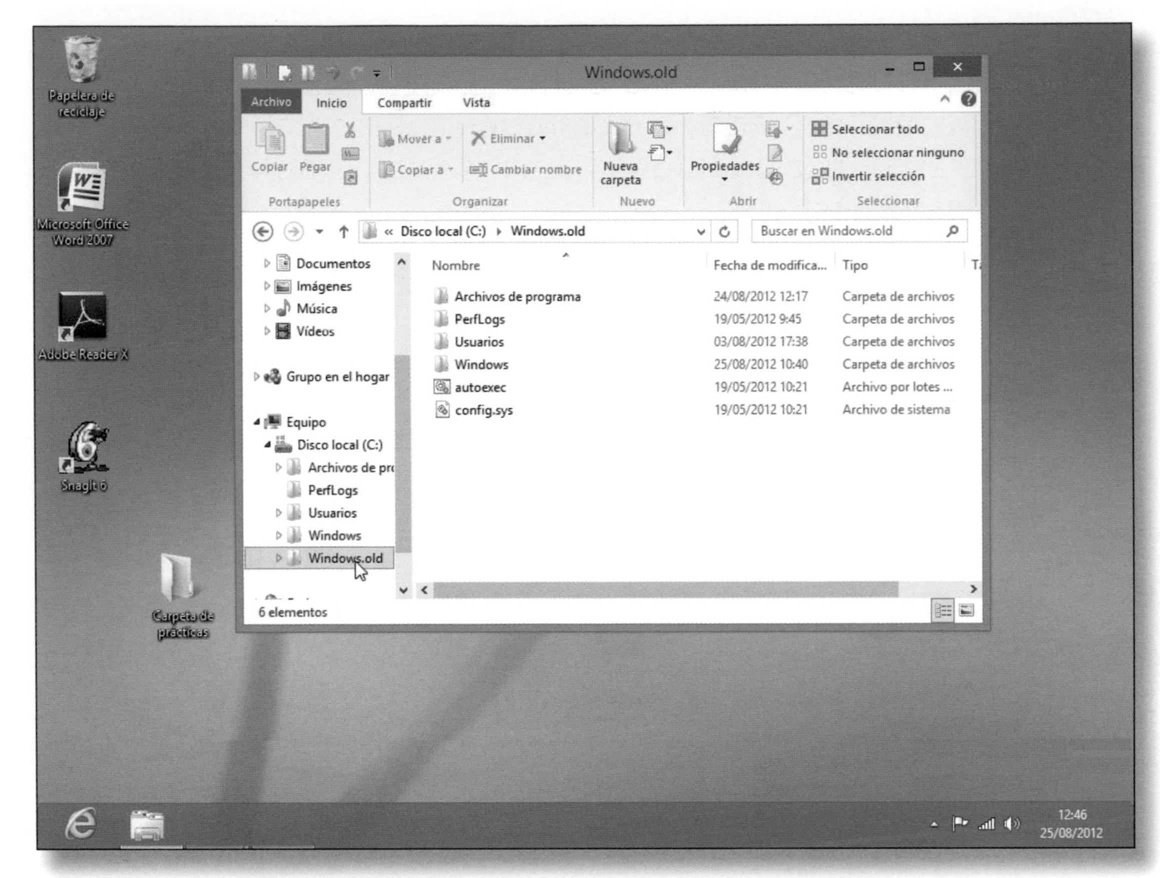

Figura 4.1. La carpeta Windows.old contiene los programas de versiones anteriores.

PRÁCTICA:

Localice WordPad y Paint y coloque sus mosaicos en la pantalla Inicio.

1. Acerque el ratón al lateral derecho de la pantalla y, cuando aparezcan los iconos, haga clic en Buscar.

2. Ahora puede ver las aplicaciones instaladas en el equipo. Haga clic en la barra de desplazamiento horizontal situada en el margen inferior de la pantalla y arrastre hacia la derecha para ver las aplicaciones de Windows.
3. Localice WordPad. Está seleccionado en la figura 4.2.

Figura 4.2. El menú de WordPad.

4. Haga clic sobre WordPad con el botón derecho para ver el menú.
5. Haga clic en Anclar a Inicio, en la esquina inferior izquierda del menú.

6. Repita la operación para Paint y para cualquier otra aplicación que desee poner en primera línea.
7. Una vez haya localizado el mosaico de la aplicación, haga clic sobre él y arrástrelo a la posición que desee. Windows reorganizará los restantes mosaicos, pero usted puede colocarlos a su comodidad.
8. Pruebe a poner en marcha WordPad haciendo clic sobre su mosaico. Pruebe a poner en marcha las aplicaciones que desee, de la misma manera. Siempre podrá cerrarlos haciendo clic en el botón **Cerrar**, el que tiene forma de aspa, situado en la esquina superior derecha de la ventana.

Figura 4.3. Las aplicaciones más utilizadas en primera línea.

Truco: Si hace clic con el botón derecho sobre cualquier aplicación, obtendrá un menú contextual para anclarla a la pantalla Inicio u ocultarla.

Anclar
Ocultar

LOS ARCHIVOS

Windows 8 llama archivos a las carpetas y documentos almacenados en el ordenador.

Buscar archivos

La opción Buscar de Windows permite localizar los archivos guardados en el equipo.

Con ella podrá encontrar las carpetas y archivos creados anteriormente con el Explorador de archivos.

PRÁCTICA:

Localice una fotografía guardada en el disco duro.

1. Acerque el ratón al lateral derecho de la pantalla y entonces, cuando aparezcan los iconos, haga clic en Buscar.
2. Haga clic en Archivos.
3. Escriba el nombre del archivo de la fotografía en la casilla de búsquedas y, a continuación haga clic sobre la lupa.

4. El archivo de la fotografía aparecerá entonces a la izquierda de la pantalla (véase la figura 4.4). Como se trata de una imagen, también puede localizarla en Fotos. Compruébelo.

Figura 4.4. La fotografía guardada.

La forma más sencilla de localizar archivos de imagen, música o vídeo es hacer clic en el icono Buscar y después hacer clic en Fotos, Música o Vídeo.

Figura 4.5. Las fotos aparecen directamente al hacer clic en Fotos.

Si tiene fotos, programas, música o vídeo guardados con anterioridad a la instalación de Windows 8, puede localizarlos escribiendo Mis imágenes, Mi Música, Mis vídeos o bien Mis documentos en la casilla Buscar, seleccionando previamente la opción Archivos.

Para localizar un programa concreto, por ejemplo Adobe Reader, escriba ese nombre en la casilla y haga clic en la lupa. No olvide que debe seleccionar primero Archivos o Aplicaciones según lo que quiera buscar. En la figura 4.4. está seleccionada la opción Archivos. Si se trata de un programa como Adobe, deberá seleccionar Aplicaciones.

Abrir archivos

Para abrir un archivo, solamente tiene que hacer clic sobre él.

Si es un archivo de texto, Windows lo abrirá con WordPad.

Si es una imagen o un vídeo, la primera vez preguntará con qué aplicación quiere abrirlo. Después lo abrirá con el programa predeterminado.

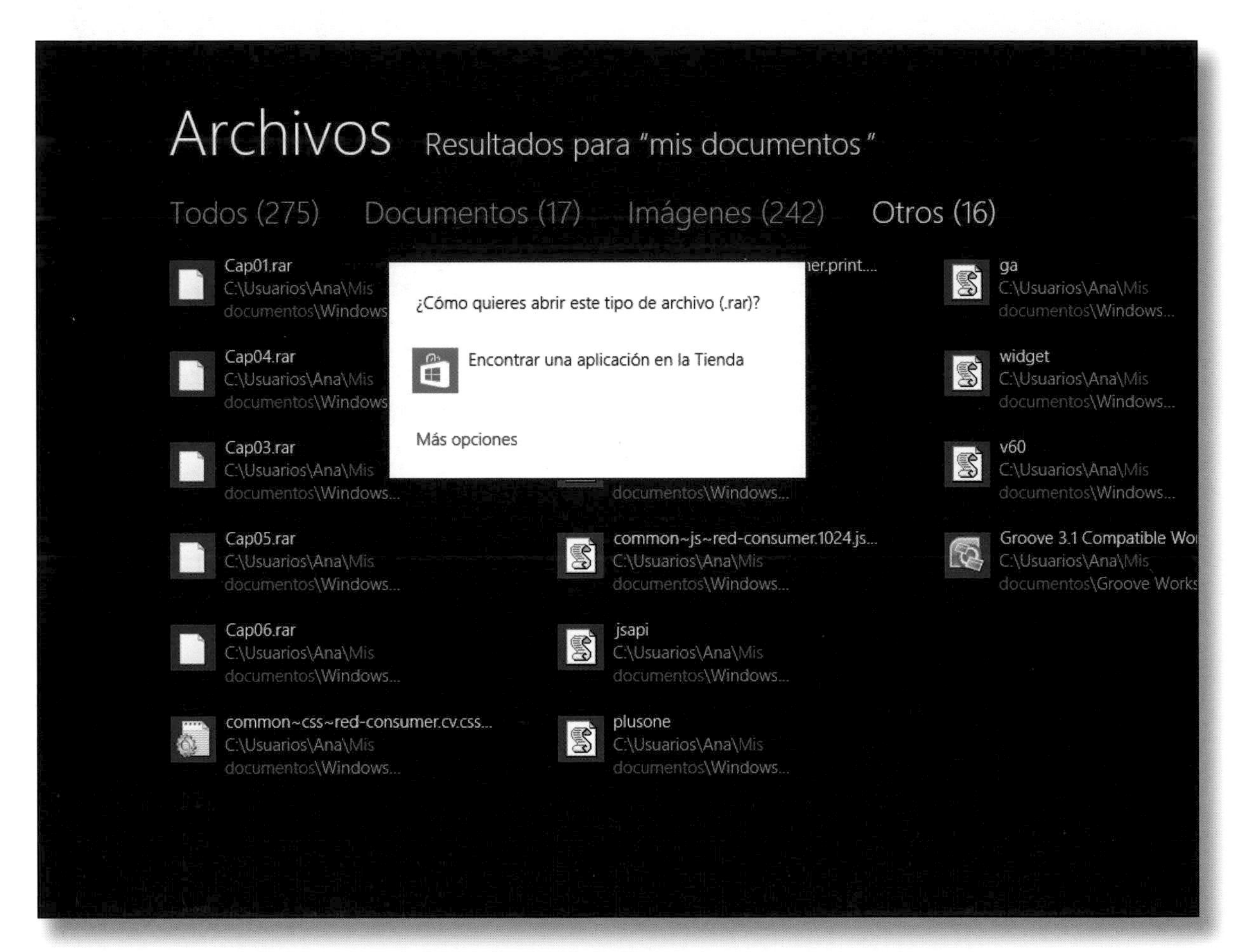

Figura 4.6. Windows pregunta con qué programa debe abrir el archivo.

Truco: Para saber el tipo de documento de que se trata, acerque el ratón al archivo y podrá ver la información.

Figura 4.7. El tipo de documento aparece cuando se aproxima el ratón.

Truco: Podrá saber cuál es el programa que Windows usará para abrir o reproducir un archivo por el icono que lo acompaña. Por ejemplo, si es un archivo de sonido y el icono muestra unos auriculares, Windows lo abrirá con la aplicación Música. Si el icono muestra una nota musical, lo abrirá con el Reproductor de Windows Media.

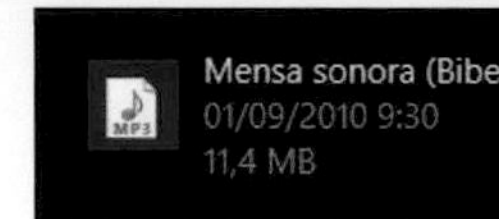

Si lo desea, puede abrir un archivo con un programa diferente al que Windows utiliza de forma predeterminada. Para ello, localice el archivo en la ventana derecha del Explorador de archivos y haga clic sobre él con el botón derecho del ratón.

Cuando se abra el cuadro de diálogo Abrir con, podrá elegir el programa. Véase la figura 4.8.

Si Windows no encuentra la aplicación con la que abrir un archivo, mostrará un cuadro de aviso dándole a elegir entre probar con una de las aplicaciones instaladas en el equipo o buscar una aplicación en la tienda de Microsoft en Internet.

Si elige Probar aplicación en el equipo, Windows le mostrará la lista de aplicaciones instaladas para que usted seleccione la adecuada.

Si tiene el programa instalado, localícelo en el disco duro. Es posible que el programa no esté instalado o tenga problemas de algún tipo. En cuanto a la tienda, hablaremos de ella en un capítulo próximo.

También es posible que la aplicación instalada no sea compatible con Windows 8, por tratarse de una versión antigua. En ese caso, lo mejor es procurarse la versión más reciente en la misma tienda en que se adquirió la versión antigua. En todo caso, si el cuadro de aviso de Windows incluye la opción Ejecutar el programa sin obtener ayuda, haga clic sobre ella para comprobar si, a pesar de la incompatibilidad, la aplicación puede ejecutarse.

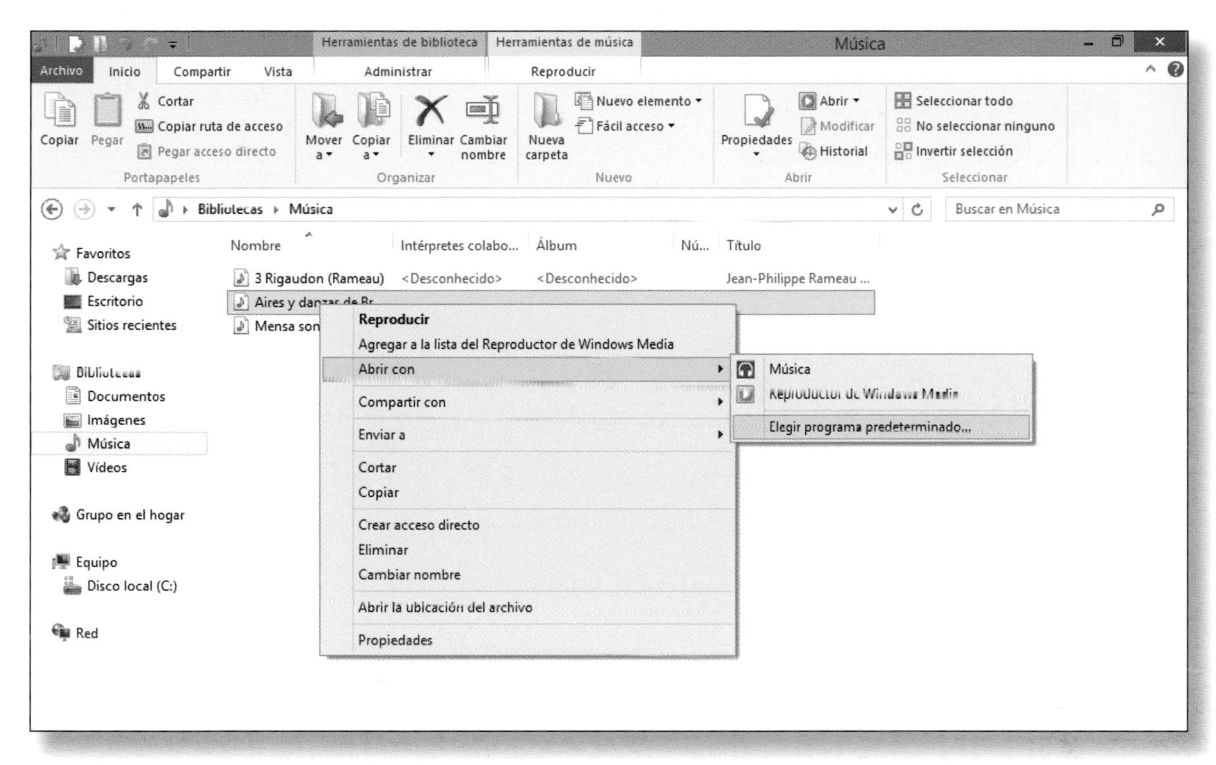

Figura 4.8. El cuadro de diálogo Abrir con permite elegir el programa.

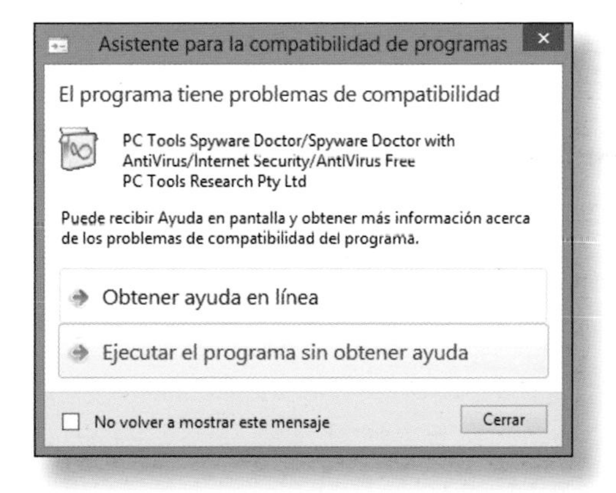

Figura 4.9. Aunque sea incompatible, a veces es posible ejecutar un programa.

EL PANEL DE CONTROL

El Panel de control es una herramienta muy útil para controlar los elementos instalados, para instalar nuevos accesorios o programas y también para desinstalarlos.

PRÁCTICA:

Conozca el Panel de control.

1. Haga clic en el icono **Buscar**, en el extremo derecho de la pantalla.
2. Haga clic en la barra de desplazamiento para moverse por la pantalla y ver las Aplicaciones de Windows.
3. Haga clic en Panel de control. Está en el epígrafe Sistema de Windows.

4. Haga clic en las distintas opciones para ver el contenido. Utilice los botones **Atrás** y **Adelante** para desplazarse. Puede verlos en la figura 4.10. Para cerrar el Panel de control, haga clic en el botón **Cerrar** que tiene forma de aspa.

Figura 4.10. El Panel de control.

LA REPRODUCCIÓN AUTOMÁTICA

La Reproducción automática se pone en marcha siempre que se inserta un disco con imágenes, música o vídeo. También suele aparecer cuando se inserta un disco externo, un lápiz de memoria u otro dispositivo en el ordenador. Resulta muy útil para reproducir automáticamente los CD de música o las películas. También es útil para visualizar imágenes o ver el contenido del disco, pero, si resulta inconveniente, se puede cerrar haciendo clic en el botón **Cerrar**, el que tiene un aspa y está situado en la esquina superior derecha de la ventana.

La Reproducción automática se puede personalizar dando instrucciones a Windows para que se comporte de determinada manera según el contenido del dispositivo que se inserte en el equipo.

PRÁCTICA:

Controle la Reproducción automática.

1. Haga clic en el icono **Buscar** y mueva la barra de desplazamiento hasta localizar las Aplicaciones de Windows.
2. Haga clic en Panel de control.
3. Haga clic en Hardware y sonido. Está señalado en la figura 4.10.
4. Haga clic en Reproducción automática.

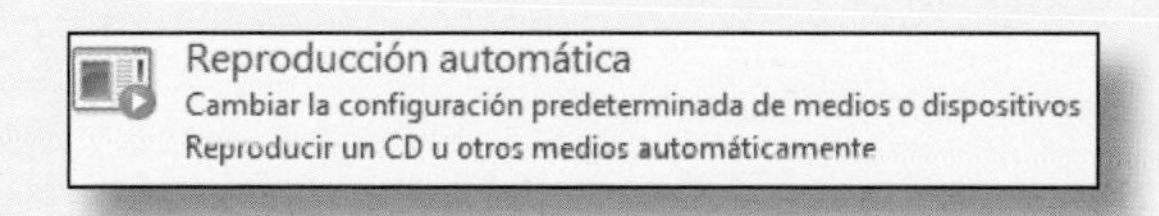

Figura 4.11. La Reproducción automática en el Panel de control.

5. Asegúrese de que la casilla Usar la reproducción automática para todos los medios y dispositivos está activada. Es la primera opción que aparece en el cuadro de diálogo Reproducción automática.
6. Haga clic en la casilla Elegir qué hacer con cada tipo de medio.
7. Haga clic en la flecha abajo de cada tipo de contenido para desplegar la lista de opciones.
8. Para cada contenido, elija la acción que desee. Recuerde que siempre puede modificar esta elección o, incluso, volver al estado original haciendo clic en el botón **Restablecer todos los valores predeterminados**, situado al final del cuadro de diálogo.
9. Haga clic en **Guardar**.

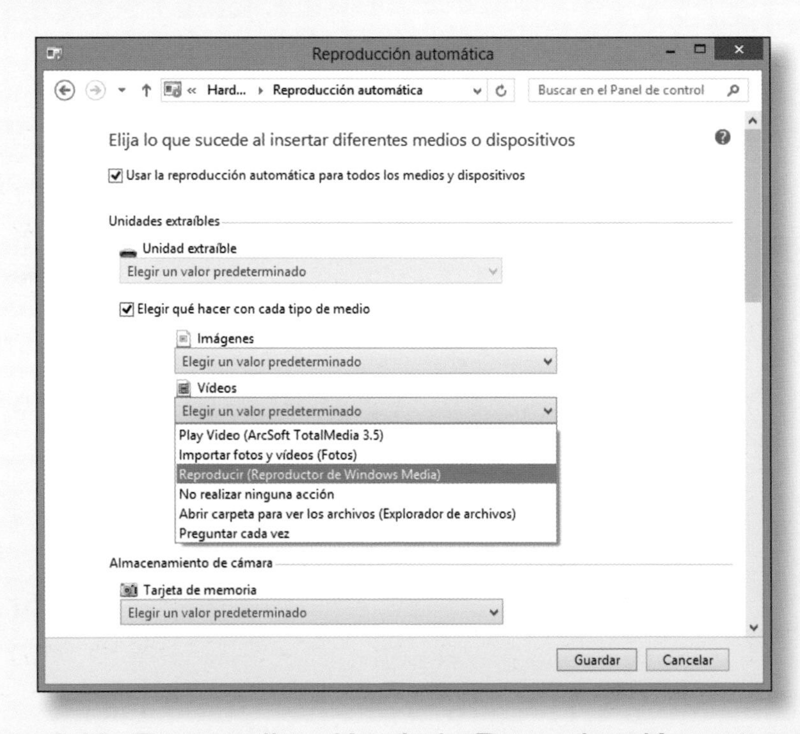

Figura 4.12. Personalización de la Reproducción automática.

INSTALAR Y DESINSTALAR DISPOSITIVOS Y PROGRAMAS

Instalar dispositivos con Windows 8 es una tarea prácticamente automática. Para instalar una impresora o un escáner, por ejemplo, solamente hay que conectarlo antes de poner en marcha el ordenador. Windows detectará el nuevo dispositivo y procederá a su instalación. En su momento, solicitará el disco del fabricante para instalar los controladores.

Para instalar un programa, el mejor método es insertar el disco y seguir las instrucciones del Asistente de instalación. Generalmente, el disco de instalación del programa se pondrá en marcha al insertarlo en la unidad de CD-ROM. Windows presentará la ventana Reproducción automática con la opción para ejecutar o iniciar el programa de instalación. Al hacer clic sobre dicha opción, el programa se ejecutará inmediatamente.

Nota: Uno de los pasos más importantes de la instalación de un programa es el cuadro que detalla los pormenores de la licencia de utilización. Es preciso hacer clic en la opción que acepta las condiciones de la licencia, para poder concluir la instalación del programa.

Advertencia: Siempre que instale un programa, Windows le pedirá confirmación. Esta es una medida de seguridad para evitar que se instalen programas en su ordenador sin su consentimiento, algo que sucede con cierta frecuencia al navegar por Internet.

Tras la instalación, muchos programas requieren reiniciar el equipo. Simplemente hay que aceptar esa opción. El programa mismo se ocupará de apagar el ordenador y volverlo a poner en marcha. Es el método preciso para que Windows recorra todos los dispositivos del equipo y detecte el nuevo programa o accesorio instalado.

Una vez instalado, el programa tendrá su mosaico en la pantalla Inicio y su icono en el Escritorio de Windows.

DESINSTALAR DISPOSITIVOS Y PROGRAMAS

Si retira algún dispositivo del ordenador y nunca más va a utilizarlo, por ejemplo, un escáner o una impresora, es conveniente desinstalar el programa que instaló en su momento.

PRÁCTICA:

Todos los programas se deben desinstalar con el Panel de control de Windows.

1. Vaya al Panel de control.
2. Haga clic sobre Desinstalar un programa en el grupo Programas. Se encuentra señalado en la figura 4.10.
3. Localice el programa en la ventana Desinstalar o cambiar este programa.

4. Haga clic sobre él con el botón derecho del ratón y luego haga clic en Desinstalar o cambiar.
5. Windows pedirá confirmación para desinstalar el programa. Haga clic en Sí o en Aceptar.
6. Aparecerá el programa de desinstalación propio del programa a desinstalar. Es posible que también solicite confirmación.
7. Al finalizar el proceso, el programa habrá desaparecido del disco duro y se habrán eliminado el mosaico de la pantalla Inicio y el icono de acceso directo del Escritorio.

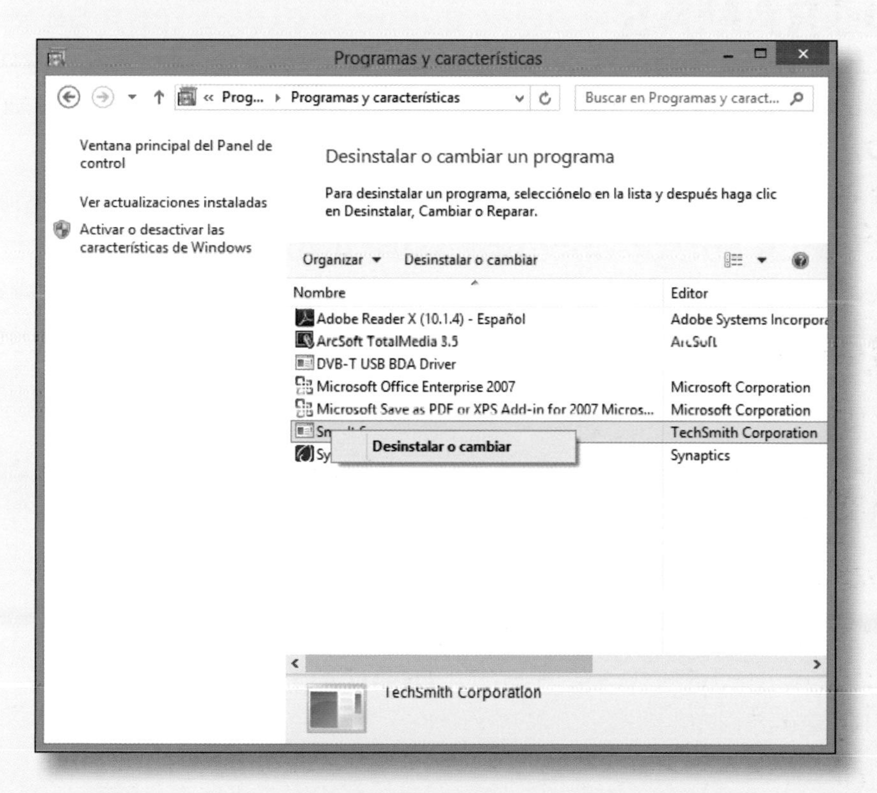

Figura 4.13. Desinstalación de un programa.

Errores a evitar

Entre los errores más comunes que se pueden evitar, podemos encontrar los siguientes:

- Nunca se deben borrar programas en lugar de desinstalarlos. Los programas que se instalan no se limitan a copiar archivos en una carpeta, sino que envían rutinas, bibliotecas, vínculos y archivos específicos al Registro de configuraciones de Windows. Todos esos complementos quedan desarraigados y pueden llegar a causar conflictos con otros programas.
- Nunca se debe cancelar un proceso de instalación a medio camino. Es preferible dejar que el proceso termine y después desinstalarlo, para evitar que queden programas a medio copiar que, antes o después, causarán problemas e impedirán instalar de nuevo ese programa.
- Cuando Windows está esperando una acción o un proceso, muestra un cursor que gira, para indicar que está trabajando y que hay que esperar. No se debe hacer clic ni ejecutar acción alguna durante ese tiempo, porque podría interferir con el trabajo del sistema operativo.

EL ADMINISTRADOR DE TAREAS

A veces, el ordenador se bloquea y no responde a las instrucciones. Entonces es preciso cerrar la tarea que bloquea el sistema.

PRÁCTICA:

Si su equipo se bloquea y no responde, haga entonces lo siguiente:

1. Sujete con los dedos anular e índice de la mano izquierda las teclas **Control** y **Alt**. Manténgalas oprimidas y después pulse la tecla **Supr** con la mano derecha.
2. Haga clic en la opción Administrador de tareas.
3. Cuando aparezca el Administrador de tareas de Windows, seleccione en la ventana la tarea o bien el programa que no responde y haga clic en el botón **Finalizar tarea**.

Figura 4.14. El Administrador de tareas muestra los programas activos e indica si alguno no responde.

Proteja su equipo

Windows 8 trae incorporado un antivirus y todas las herramientas necesarias para proteger su equipo. Puede comprobarlo haciendo clic en el icono **Centro de actividades** que tiene forma de banderín y está situado a la derecha de la barra de tareas.

Haga clic en Abrir Centro de actividades y, en el cuadro Centro de actividades, haga clic en Seguridad. Podrá observar que las herramientas de seguridad están activadas. Windows Defender protege su equipo de virus y amenazas.

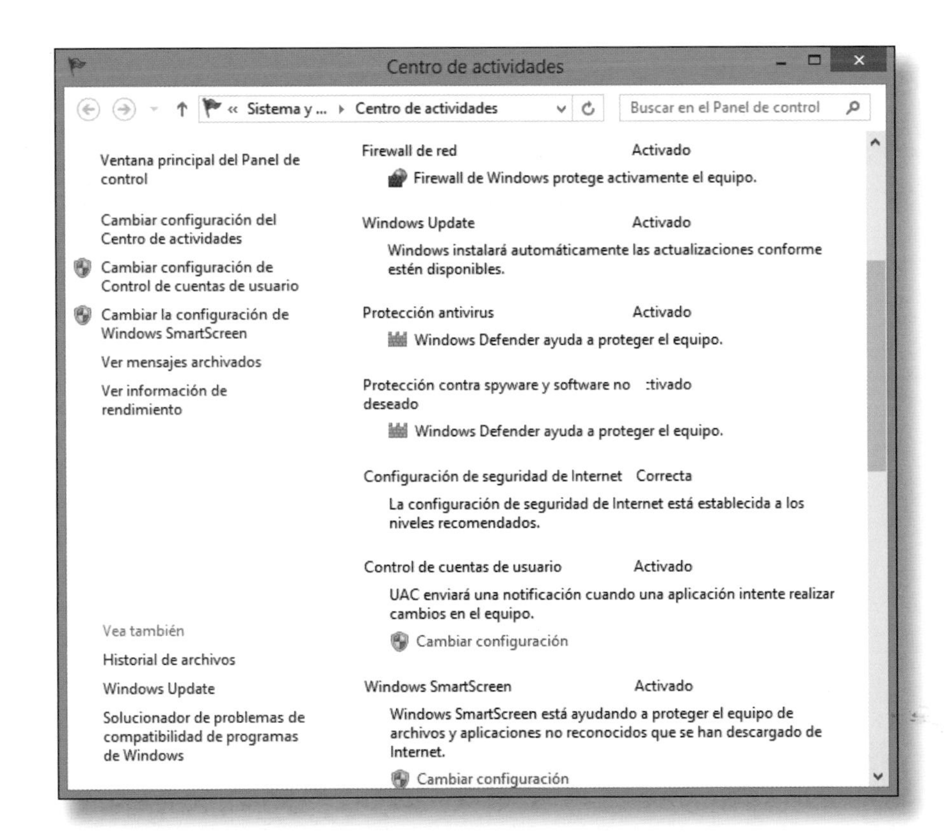

Figura 4.15. Su equipo está protegido con Windows 8.

Los virus y otras amenazas se modifican constantemente, por lo que es imprescindible mantener al día la protección del ordenador. Windows Defender se actualiza automáticamente con los antivirus y antiespías más recientes de Microsoft. Pero, si usted apaga su ordenador durante un período de tiempo, cuando lo encienda de nuevo y se conecte a Internet, es posible que Windows Defender le pida que haga clic en el botón **Actualizar** para actualizar sus recursos de protección.

En ese caso, el cuadro de diálogo indicará "Estado del equipo: potencialmente sin protección". Una vez que finalice la descarga y actualización, el cuadro indicará "Equipo protegido".

Figura 4.16. Actualización de Windows Defender.

5

Herramientas y accesorios de Windows 8

EL TRABAJO CON IMÁGENES

En capítulos anteriores, hemos copiado una fotografía al disco duro y la hemos visto en el mosaico Fotos. Haciendo clic con el botón derecho en la parte inferior de la pantalla, aparece el menú de la fotografía que permite algunas opciones, como escribir un comentario o ponerla como carátula del mosaico.

Figura 5.1. Opciones del mosaico Fotos para las fotografías.

Pero, además de las opciones del mosaico Fotos, Windows 8 ofrece su Visualizador de fotos tradicional, con el que podemos realizar algunas funciones, como girar una fotografía o imprimirla.

Nota: Encontrará información detallada acerca del trabajo con imágenes y fotografías en el libro de esta misma colección *Fotografía digital*.

El Visualizador de fotos de Windows 8

Para abrir una imagen o fotografía con el Visualizador, lo más práctico es localizarla en la ventana derecha del Explorador de archivos y después hacer clic sobre ella con el botón derecho del ratón. Hacer clic en Abrir con y, cuando aparezca el cuadro de diálogo Abrir con, seleccionar Visualizador de fotos de Windows.

El Visualizador de fotos de Windows 8 dispone de una barra de herramientas en la parte inferior y un menú en la parte superior, que puede ver en la figura 5.2. Veamos algunas opciones.

La barra de herramientas

La barra de herramientas se encuentra en la parte inferior del Visualizador de fotos y consta de las siguientes herramientas:

- Para pasar de una imagen a la siguiente o a la anterior, utilice los botones **Siguiente** y **Anterior** de la barra de herramientas.

- Si la fotografía aparece volteada, utilice los botones **Girar hacia la derecha** y **Girar hacia la izquierda** para girar la imagen 90° en el sentido de las agujas del reloj o en el contrario.
- Utilice el zoom, el botón con forma de lupa, moviendo el deslizador arriba o abajo para aumentar o disminuir el tamaño de la fotografía. Puede verlo en la figura 5.3.

Figura 5.2. La barra de herramientas y el menú del Visualizador de fotos de Windows.

Figura 5.3. El zoom modifica el tamaño de la fotografía, para acercar los detalles.

- Utilice el botón **Eliminar**, que tiene forma de aspa, o la tecla **Supr** para borrar la fotografía.
- El botón **Ver presentación** es el mayor de todos, de forma redonda y se encuentra en el centro de la barra de herramientas. Si hace clic en él podrá ver las fotografías de forma secuencial como una presentación.
- Para imprimir la fotografía, haga clic en el menú **Imprimir** y seleccione el modo de impresión. Está señalado en la figura 5.4. Si no dispone de impresora en color, puede copiar las fotografías en un disco o en un lápiz de memoria y llevarlas a una tienda de fotografía.

Figura 5.4. El menú Grabar permite grabar la fotografía en un disco.

- Si hace clic en el menú Grabar, el programa le pedirá un disco regrabable. Para grabar en un lápiz de memoria, utilice el método de copiar y pegar o arrastrar que empleamos en el capítulo 3.

- Correo electrónico permite enviar la imagen en un mensaje de correo. Al hacer clic en él, se abre un cuadro de diálogo donde se puede seleccionar el tamaño de la imagen a enviar.

LA EDICIÓN CON PAINT

Paint es un programa muy fácil de manejar que permite manipular una imagen, así como dibujar y pintar. Se encuentra entre las Aplicaciones de Windows. En el capítulo anterior, colocamos su mosaico en la pantalla Inicio.

Si abre una fotografía con Paint, podrá cambiarle el tamaño, recortar una parte o agregarle un dibujo.

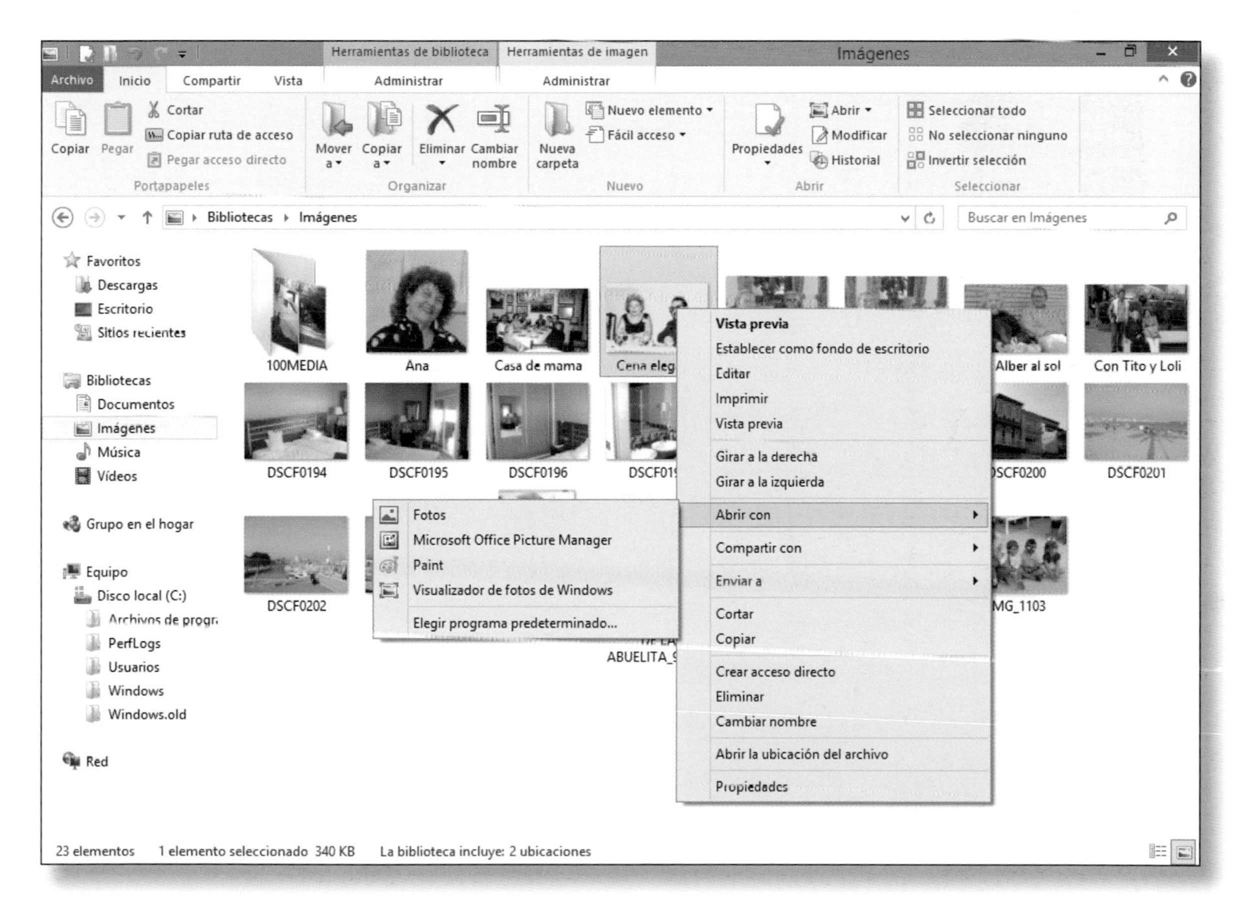

Figura 5.5. El menú Abrir con permite elegir el programa.

Advertencia: Antes de editar una fotografía, es conveniente guardar el original con otro nombre para ponerlo a salvo. Utilice el menú Archivo del Visualizador de fotos y la opción Hacer una copia.

PRÁCTICA:

Pruebe a recortar una fotografía con Paint:

1. Haga clic en la fotografía con el botón derecho del ratón y después haga clic en Abrir con. En el cuadro Abrir con, seleccione Paint.
2. Si la fotografía es demasiado grande para verla completa, haga clic en la pestaña Ver, en la parte superior de Paint, y después haga clic en la lupa con el signo meno (-) para alejar la imagen.

   Acercar Alejar
3. Haga clic en la pestaña Inicio y después haga clic en Seleccionar.
4. Haga clic sobre la parte de la fotografía a recortar y arrastre la herramienta de selección hasta enmarcar el recorte.
5. Haga clic en Recortar. Véase la figura 5.6.
6. Guarde el recorte con otro nombre para no estropear el original, haciendo clic en el menú Archivo y después seleccionando Guardar como. Véase la figura 5.7.

Figura 5.6. El recorte listo.

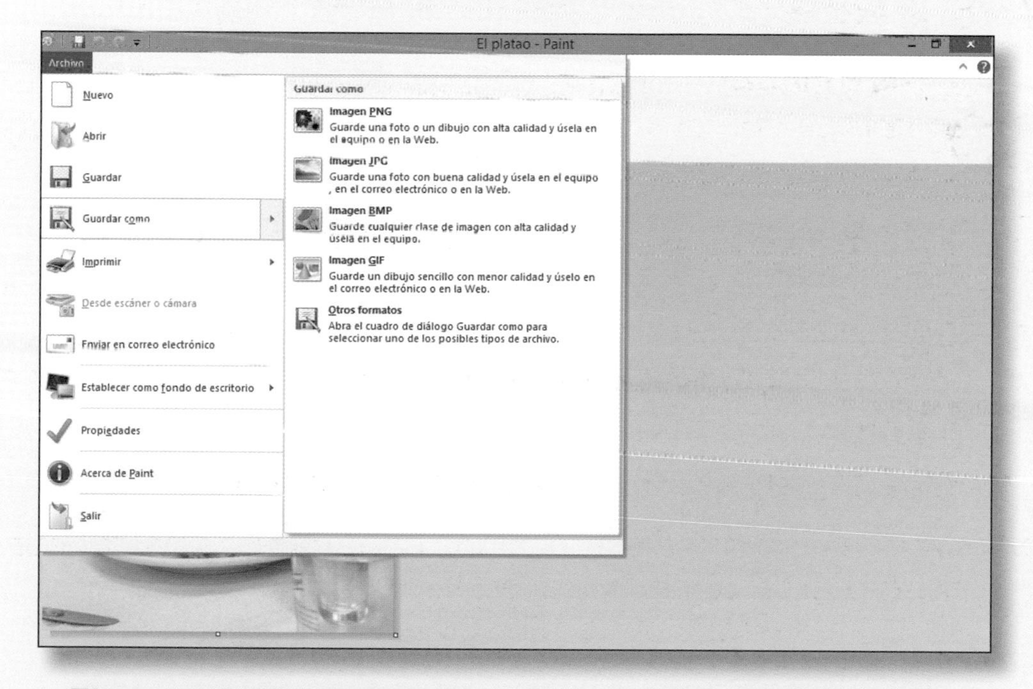

Figura 5.7. El menú Archivo con la opción Guardar como.

Si tiene que enviar la fotografía por correo electrónico y el tamaño del archivo resulta excesivo, puede disminuirlo así:

PRÁCTICA:

Cambie el tamaño y agregue un dibujo:

1. Haga clic en la opción Cambiar de tamaño y sesgar, en la pestaña Inicio.
2. Haga clic en Porcentaje y escriba el porcentaje a reducir en la casilla Horizontal. Puede reducirla, por ejemplo, en un 30 ó en un 50 por ciento. Si está activada la casilla de verificación Mantener relación de aspecto, no necesita escribir nada en la casilla Vertical. El programa reducirá la imagen en ambos sentidos.
3. Haga clic en **Aceptar**.

Figura 5.8. El tamaño de la fotografía se puede reducir.

4. Si desea trazar un dibujo sobre la fotografía, haga clic en la herramienta que desee. Puede utilizar una de las formas, por ejemplo el Rectángulo, para trazar un marco en torno al recorte anterior.
5. Después de seleccionar la forma o la herramienta que desee, como el Lápiz o el Pincel, haga clic en un color de la paleta. Seleccione después el grosor del trazo haciendo clic en Tamaño y eligiendo uno.
6. Para pintar o dibujar, haga clic al inicio del dibujo y arrastre el ratón sobre la imagen.

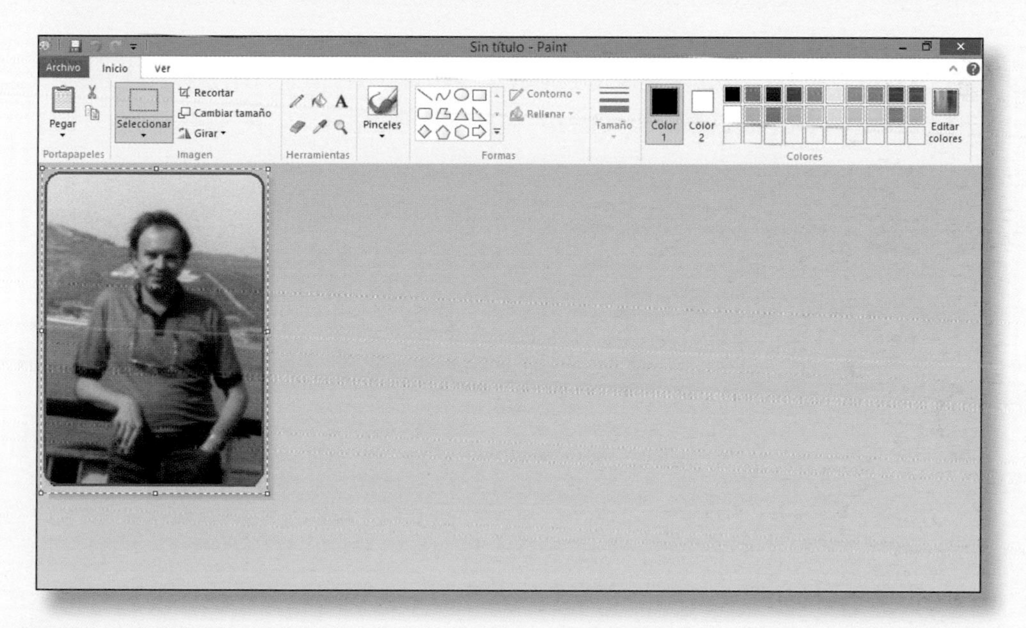

Figura 5.9. Un marco para el recorte anterior, trazado con Paint.

Truco: Recuerde que siempre podrá utilizar el comando Deshacer para corregir errores. Lo encontrará en la barra de inicio rápido, en la parte superior izquierda de la ventana.

MÚSICA Y VÍDEO EN WINDOWS 8

Los mosaicos Música y Vídeo de Windows 8 ofrecen también sendos menús de opciones para la reproducción de archivos de sonido o vídeo.

Con ellos podrá reproducir los archivos que haya copiado a las respectivas bibliotecas o bien los contenidos en un CD, DVD u otro dispositivo.

PRÁCTICA:

Reproduzca un vídeo que haya copiado a Mis vídeos. El procedimiento es similar para reproducir un archivo musical:

1. Haga clic en el mosaico Vídeo.
2. Haga clic en su vídeo, si no lo ve, arrastre entonces la barra de desplazamiento hacia la derecha para localizarlo.
   - Para ver el menú, haga clic con el botón derecho en la zona inferior de la pantalla.
   - Para pausar la reproducción, haga clic en **Pausa**. Una vez detenido, este mismo botón servirá para reproducir.
   - Para detener la reproducción, haga clic en **Pausa** y, a continuación, pulse la tecla **Windows** para volver a Inicio.
   - Para volver a la pantalla que contiene todos los vídeos, haga clic en la parte superior izquierda de la pantalla y, cuando aparezca la flecha que apunta a la izquierda, haga clic en ella.

Figura 5.10. Los botones para controlar el vídeo.

El Reproductor de Windows Media

Además de los mosaicos, Windows 8 incluye el Reproductor de Windows Media, que se encuentra entre las Aplicaciones de Windows, en el grupo Accesorios de Windows. Puede llevarlo a la pantalla Inicio o cambiarlo de lugar si lo desea.

Reproductor de Windows Media

Nota: La primera vez que ponga en marcha el Reproductor de Windows Media, aparecerá un cuadro de diálogo para configurarlo. Este proceso es automático. Sólo tiene que hacer clic en el botón **Finalizar** para aceptar la opción Configuración recomendada que aparece activada.

Para reproducir un archivo de sonido o vídeo con el Reproductor de Windows Media, localícelo en la ventana del Explorador de archivos y haga clic sobre él con el botón derecho del ratón. Seleccione Abrir con y, en el cuadro de diálogo Abrir con, haga clic en Reproductor de Windows Media.

PRÁCTICA:

Conozca el Reproductor de Windows Media:

1. Inserte un CD de audio en la unidad de CD o DVD del ordenador.
2. En la esquina superior derecha de la pantalla, aparecerá un cuadro de reproducción automática invitándole a hacer clic.
3. Haga clic en Reproducir CD de audio Reproductor de Windows Media en el cuadro de reproducción automática que aparece a continuación.

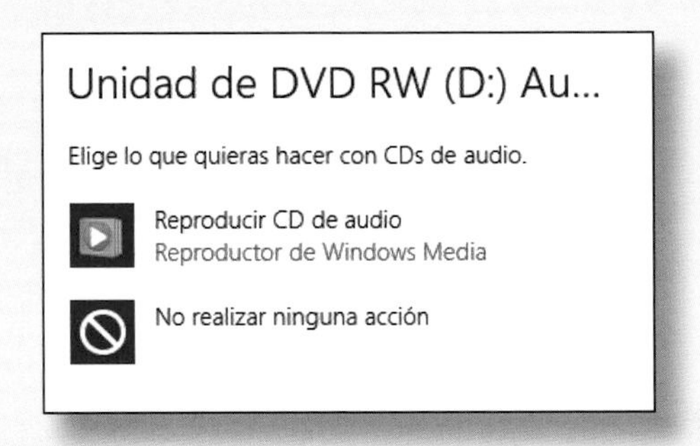

Figura 5.11. La Reproducción automática para la unidad de CD o DVD.

Alternativamente, puede reproducir el CD del modo que sigue:

1. Inserte el CD y cierre las ventanas de la Reproducción automática haciendo clic en el botón en forma de aspa.

2. Haga clic en el mosaico Escritorio y ponga en marcha el Explorador de archivos.
3. Localice la unidad de CD o DVD en la ventana de la izquierda y haga clic en ella. Las pistas del CD aparecerán en la ventana derecha del Explorador.
4. Haga clic con el botón derecho en una de las pistas y seleccione Reproducir en el menú contextual.

Truco: Puede hacer visible el menú del Reproductor de Windows Media haciendo clic con el botón derecho del ratón en la zona libre situada a la derecha de Toda la música o Todos los vídeos. En el menú contextual, haga clic en la opción Mostrar barra de menús.

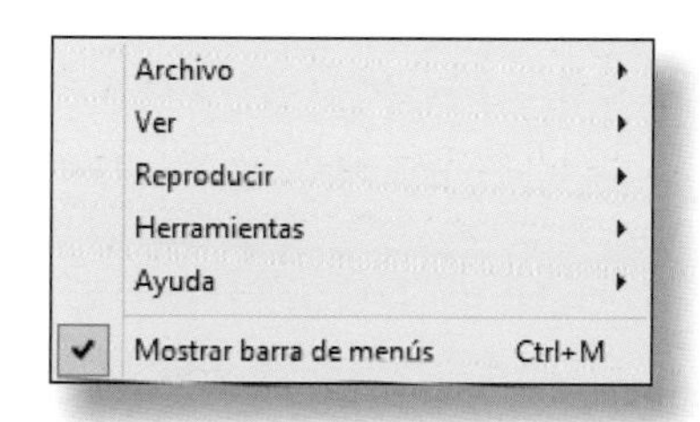

Figura 5.12. Haga visible el menú.

ESCRIBIR CON WINDOWS 8

WordPad es un procesador de textos con numerosas prestaciones que hacen muy fácil la tarea de crear y manipular documentos de texto. Creamos un mosaico para él en el capítulo 4.

PRÁCTICA:

Pruebe a crear un documento con WordPad:

1. Haga clic en el mosaico WordPad.
2. Escriba el título del texto.
3. Pulse la tecla **Intro** para insertar un retorno de carro y escriba un texto de dos o más líneas.

   Observe que al llegar al final de la pantalla, la escritura pasa automáticamente a la línea siguiente. Pulse la tecla **Intro** sólo si precisa insertar un punto y aparte.

   - Para borrar una letra o una palabra, haga clic al final y pulse la tecla **Retroceso**.
   - También puede seleccionar la letra o palabra a borrar, haciendo clic y arrastrando el ratón sobre ella y pulsando después la tecla **Supr**.
   - Para insertar una tabulación, pulse la tecla **Tab**.
   - Para copiar una palabra o frase, selecciónela arrastrando el ratón sobre ella y después haga clic en el botón **Copiar**, situado en la ficha Inicio. También encontrará ahí los botones **Cortar** y **Pegar**.
4. Para guardar el texto haga clic en el botón **WordPad**, situado en la esquina superior izquierda, y seleccione Guardar.
5. Escriba el nombre del documento en la casilla Nombre del cuadro de diálogo Guardar como y haga clic en el botón **Guardar**. Windows lo guardará en Mis documentos.

6. Para imprimir el texto, haga clic de nuevo en el botón **WordPad** y seleccione Imprimir. Si lo desea, haga clic primero en Vista previa para comprobar el resultado.

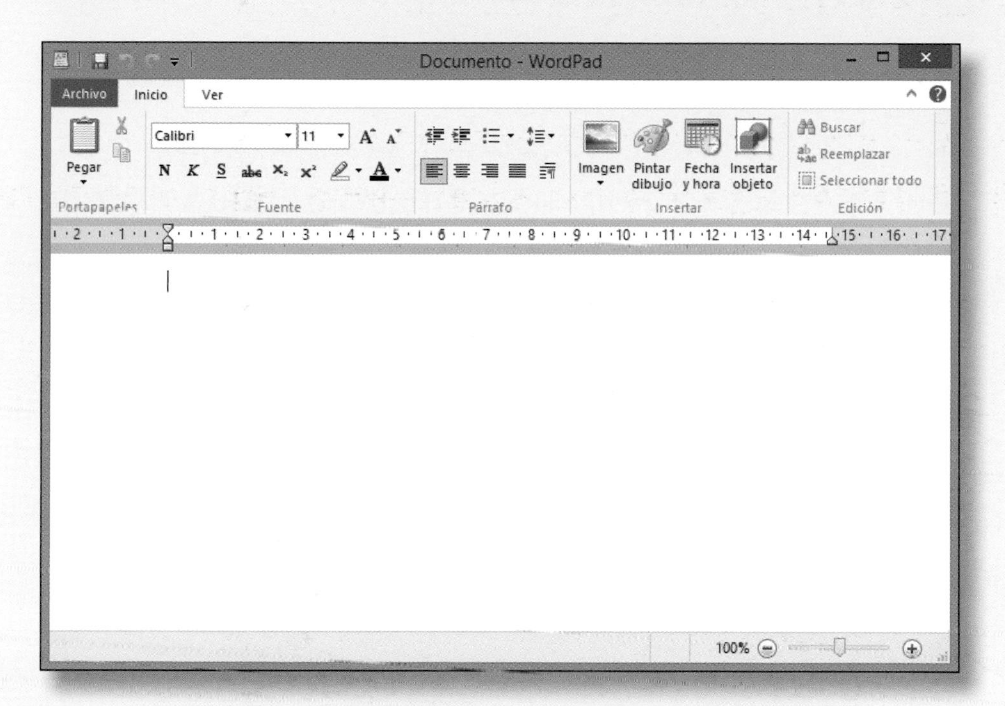

Figura 5.13. WordPad, el potente procesador de textos de Windows 8.

EL LECTOR DE WINDOWS 8

Los textos que se descargan de Internet suelen llevar el formato PDF. Pueden leerse en la pantalla del ordenador, en un lector de libros electrónicos o en otros dispositivo portátiles, como las tabletas. Para leer un archivo en formato PDF es preciso disponer de un programa. Generalmente se utiliza Adobe Reader, que es gratuito. Pero ahora, Windows 8 ofrece su propio lector de textos en formato PDF. Lo encontrará entre las Aplicaciones de Windows. Puede crear un mosaico en la pantalla Inicio, si lo desea.

Lector

PRÁCTICA:

Pruebe a leer un documento con el Lector de Windows:

1. Copie un texto en formato PDF a la carpeta Mis documentos.
2. Haga clic sobre el archivo con el botón derecho del ratón y elija Abrir con. En el cuadro de diálogo Abrir con, seleccione Lector de Windows.
3. Haga clic con el botón derecho en la parte inferior de la pantalla para ver el menú y los botones.
4. Pruebe a ver el texto en dos columnas haciendo clic en el botón **Dos páginas**.
5. Para cerrar el libro, haga clic en el botón **Más**, en el extremo derecho, y elija Cerrar.

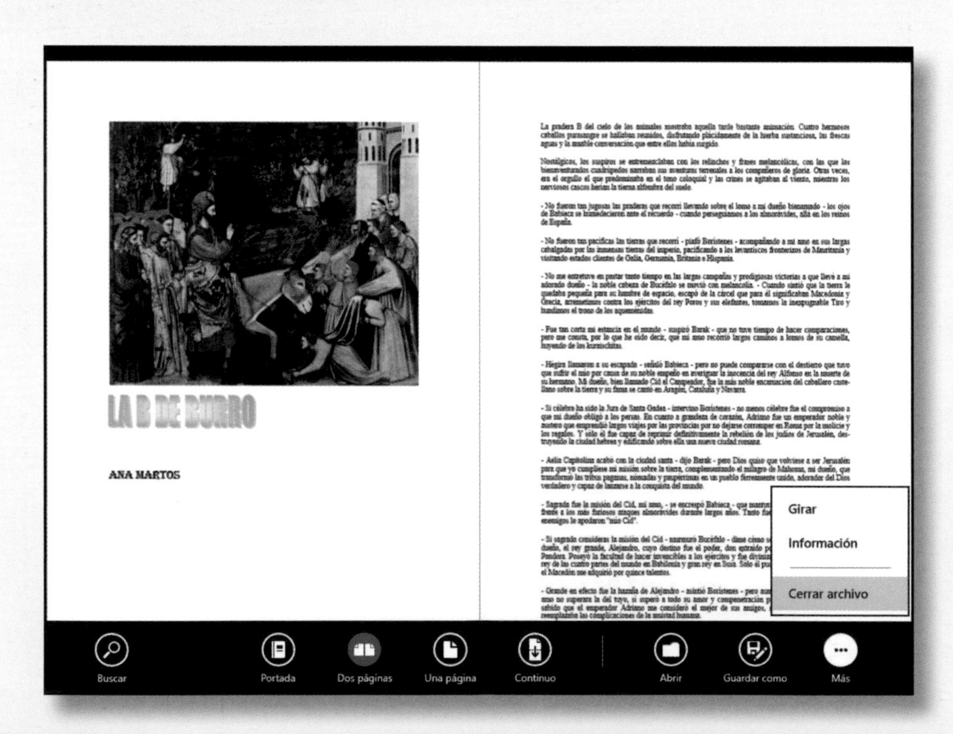

Figura 5.14. El Lector de Windows 8 y los botones de control.

PRÁCTICA:

Si tiene un escáner conectado al ordenador, puede escanear textos e imágenes con Windows 8:

1. Aproxime el ratón al borde derecho de la pantalla y haga clic en el icono **Buscar.**
2. Arrastre la barra de desplazamiento a la derecha para ver todas las aplicaciones de Windows.
3. Haga clic en el mosaico Fax y escáner de Windows.

4. Haga clic en Nueva digitalización.
5. Haga clic en Vista previa, ajuste la imagen y haga clic en Digitalizar.

Figura 5.15. Windows 8 permite escanear textos e imágenes.

6

Windows 8 en la Red

Windows 8 está concebido para trabajar en línea. Ofrece numerosos recursos y herramientas que requieren conexión a Internet y una cuenta en la plataforma de Microsoft, Windows Live. Todo ello es gratuito.

Microsoft llama Live ID al identificador para acceder a Windows Live.

Si usted tiene una cuenta de correo electrónico con Hotmail, ya tiene lo necesario para conectarse a Windows Live y aprovechar todos sus recursos, porque el nombre de su cuenta será su identificador (su Live ID). Si no la tiene, compruebe lo fácil que es abrirla.

Libros: Encontrará información y detalles sobre el trabajo con Internet en los libros de esta misma colección *Internet*, *Más Internet* y *Cómo buscar en Internet*.

EL MOSAICO CORREO

Nota: El capítulo 1 de este libro detalla las características que comparten todos los mosaicos de Windows 8.

PRÁCTICA:

Abra una cuenta en Windows Live:

1. Haga clic en el mosaico Correo.
2. Haga clic en la opción Registrarse para obtener una cuenta Microsoft. Está señalada en la figura 6.1.

Figura 6.1. La opción para registrarse.

3. Haga clic en Crear un Live ID.
4. Escriba una contraseña y rellene los datos de la pantalla siguiente. Con esto dispondrá de una cuenta en Hotmail para recibir y enviar correo electrónico,

cuyo nombre será al mismo tiempo su identificador para Windows Live. Tendrá el siguiente formato sunombre@hotmail.com.

5. Para iniciar sesión, escriba su Windows Live ID o, lo que es lo mismo, su cuenta de correo Hotmail en la casilla superior y escriba su contraseña en la inferior. Después, haga clic en **Iniciar sesión**. Puede ver las casillas en la figura 6.2.

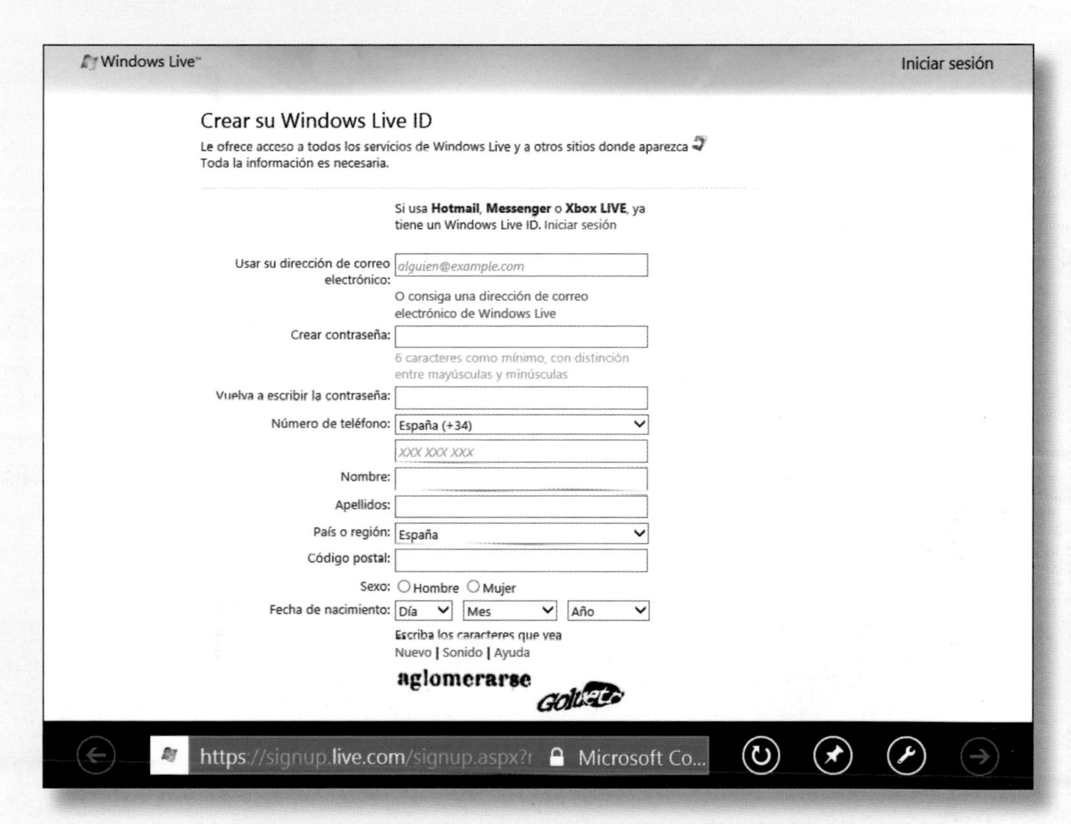

Figura 6.2. Los datos a cumplimentar.

Una vez inicie sesión en el mosaico Correo, accederá a la Bandeja de entrada de Hotmail con los mensajes que haya recibido. Si recibe un mensaje con un archivo adjunto, haga clic sobre él para ver el menú contextual que le permitirá abrir o guardar el archivo.

- Para gestionar su correo electrónico, haga clic con el botón derecho del ratón y utilice los iconos y botones correspondientes. En la parte superior de la pantalla, encontrará los botones para crear un mensaje nuevo, para responder al mensaje recibido o para eliminarlo.

Figura 6.3. El menú, los iconos y los botones para gestionar el correo.

- Haga clic sobre el icono que muestra una flecha a la izquierda para ver el menú de Hotmail. En él encontrará la Bandeja de salida, los borradores, etc.

Una vez haya obtenido su cuenta de correo electrónico con Hotmail, el mosaico Correo mostrará los mensajes recibidos por leer.

EL MOSAICO MENSAJES

El mosaico Mensajes le permite gestionar los mensajes de su cuenta en la red social de Windows Live Messenger, así como en otras redes sociales en las que tenga un perfil. A través de este mosaico, puede sincronizar sus cuentas en Facebook, Twitter, etc. y administrarlas a través de Windows 8.

Figura 6.4. El mosaico Mensajes da acceso a las redes sociales.

Nota: Puede acceder a Messenger de la misma forma que accede a Windows Live, utilizando como identificador su cuenta de correo Hotmail y la contraseña.

Libros: Encontrará información acerca de redes sociales en el libro de esta misma colección *Redes sociales*.

EL MOSAICO CONTACTOS

El mosaico Contactos permite acceder a la lista de contactos de Hotmail. Si tiene también una lista de contactos en Google, por ejemplo, en Gmail, o en otras redes sociales, podrá agregarla para reunir todos sus contactos en este mosaico.

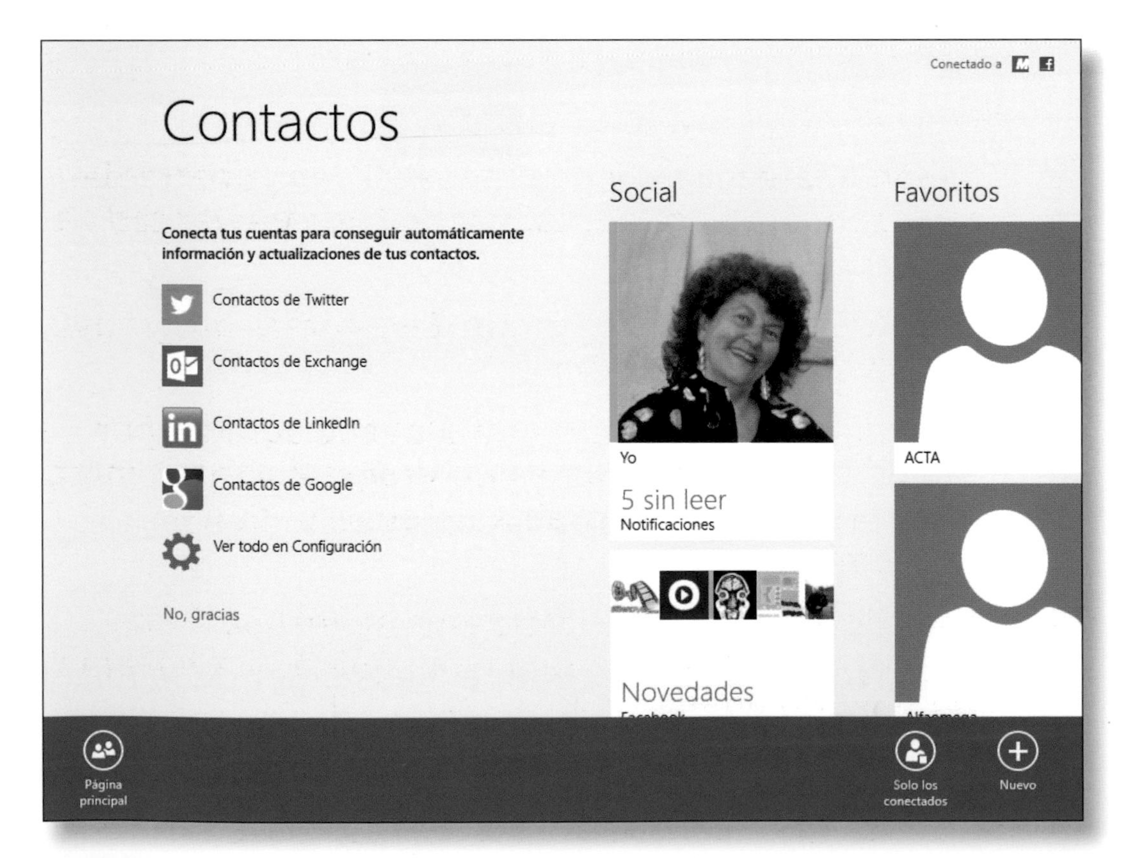

Figura 6.5. El mosaico Contactos permite gestionar sus listas de contactos.

Al igual que sucede en los demás mosaicos, podrá acceder a los iconos acercando el ratón a la derecha, a la izquierda, a la parte superior de la pantalla o haciendo clic con el botón derecho.

EL MOSAICO TIENDA

Este mosaico permite acceder a la tienda en linea de Microsoft donde encontrará aplicaciones gratuitas y de pago.

PRÁCTICA:

Descargue un programa gratuito de la tienda de Microsoft.

1. Haga clic en el mosaico Tienda.
2. Cuando aparezca la tienda, haga clic en la barra de desplazamiento horizontal y arrastre para ver todo el contenido.
3. Haga clic en Principales gratis. Encontrará programas, juegos y objetos gratuitos.
4. Haga clic en un producto gratis que le agrade, por ejemplo Fresh Paint, que es un programa para pintar, o Mapa estelar, un programa de observación astronómica.
5. Haga clic en Instalar. El programa se instalará en su equipo y creará un mosaico en el que podrá hacer clic para ponerlo en marcha.

INTERNET EXPLORER

El mosaico Internet Explorer da acceso al navegador de Windows. Si ha trabajado antes con Internet Explorer, podrá comprobar lo mucho que ha cambiado esta última versión.

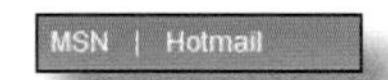

Desde Internet Explorer podrá acceder fácilmente a su correo electrónico haciendo clic en el enlace Hotmail, situado en la parte superior izquierda de la ventana.

PRÁCTICA:

Practique con Internet Explorer.

1. Ponga en marcha Internet Explorer haciendo clic en su mosaico.
2. Como en todos los mosaicos de Windows 8, los botones e iconos de Internet Explorer aparecen haciendo clic con el botón derecho o acercando el ratón a los laterales de la pantalla. Véase la figura 6.6.
3. Escriba una dirección en la barra de direcciones situada en la parte inferior de la pantalla. Por ejemplo, para acceder al buscador Google, escriba esto http://www.google.es.
4. Pulse la tecla **Intro**.
5. Para volver a la pantalla anterior, que es la página de Bing, haga clic en la flecha Anterior que apunta a la izquierda. Está marcada en la figura 6.7. También puede hacer clic con el botón derecho del ratón en la parte superior de la pantalla para ver todas las páginas que haya visitado y regresar a la que desee haciendo clic sobre ella. Véalas en la figura 6.6.

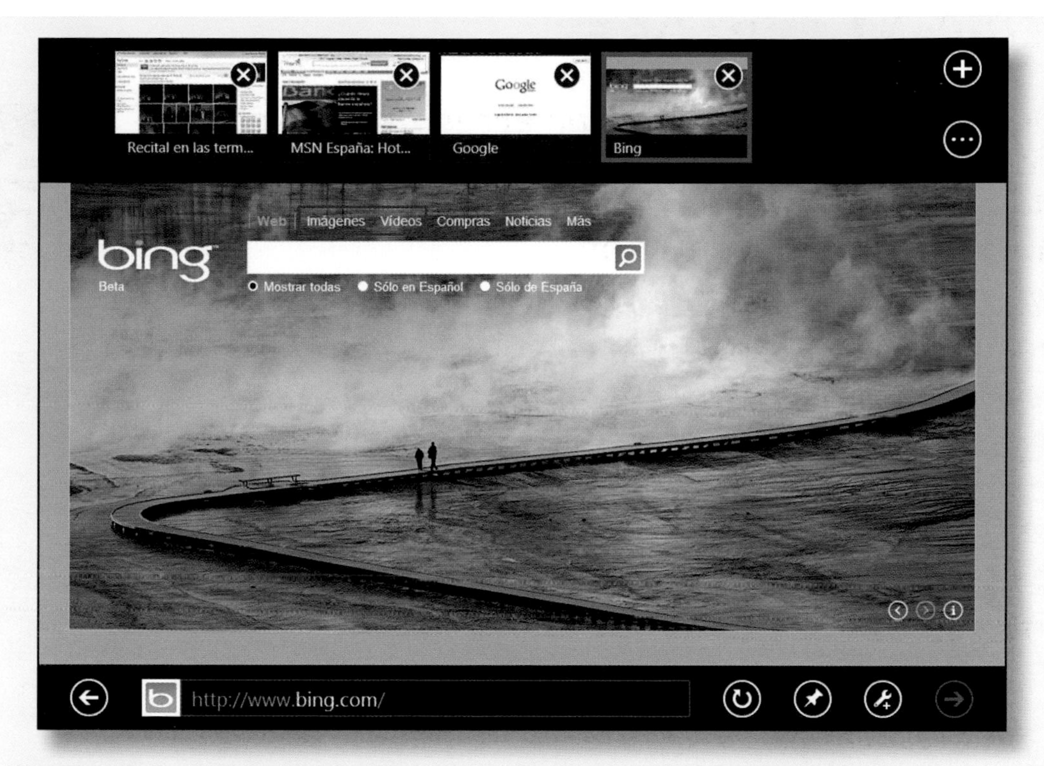

Figura 6.6. Internet Explorer con todos los botones y herramientas.

Figura 6.7. El buscador Google.

6. En la página principal de Bing, escriba hermitage en la casilla de búsquedas y luego haga clic en la opción Imágenes. No es preciso escribir mayúsculas. La opción está marcada en la figura 6.6.
7. Haga clic ahora en la imagen que desee del Museo del Hermitage.

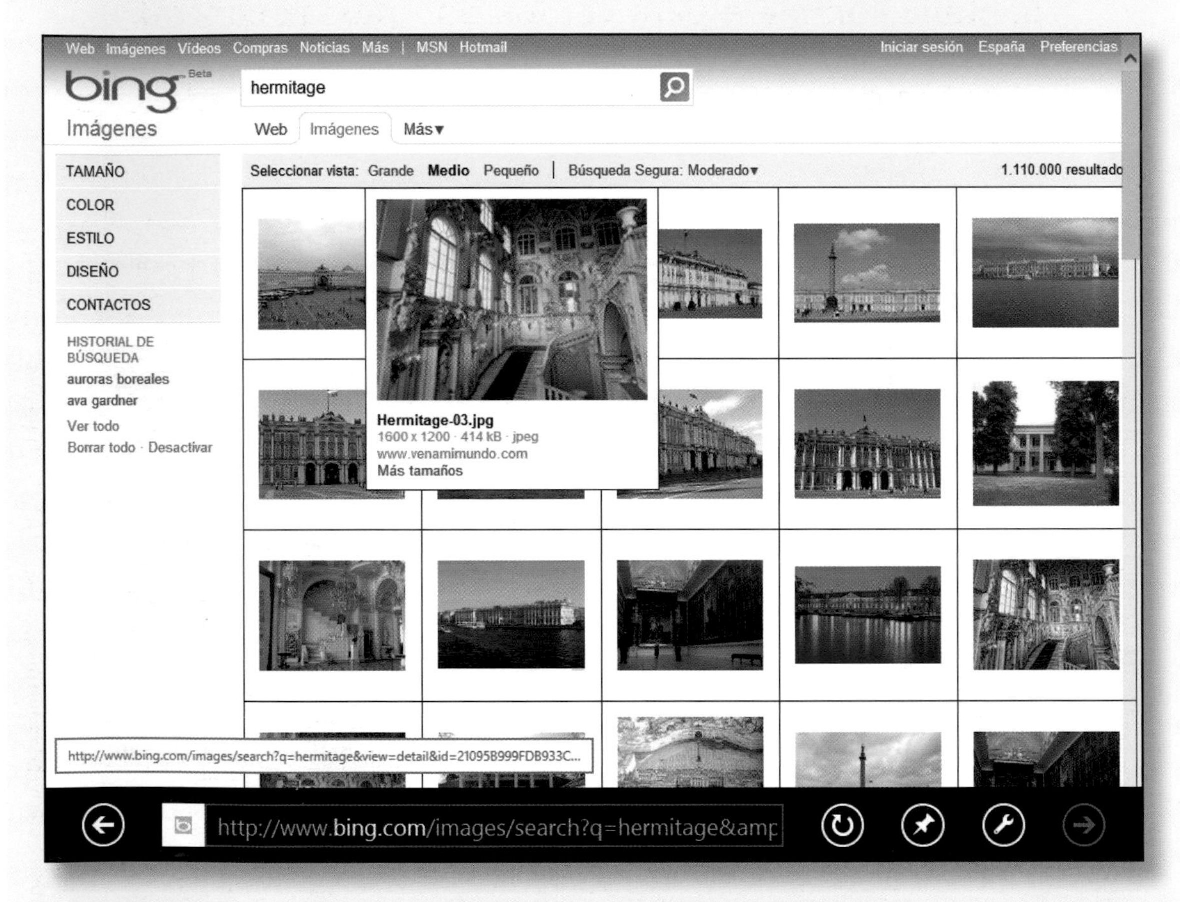

Figura 6.8. El Museo del Hermitage.

8. Haga clic en la flecha Anterior o en la miniatura de la página de Bing para volver.
9. Escriba auroras boreales en la casilla de búsquedas y haga clic en la opción Vídeos.

10. Haga clic en el vídeo que desee ver.
11. La ventana del vídeo tiene botones para reproducir, detener, controlar el volumen, etc. Haga clic en el botón de la esquina inferior derecha para ver la pantalla completa. 
12. Baje el puntero del ratón a la parte inferior de la pantalla completa para ver los botones de control. Para salir del modo Pantalla completa, haga clic en el botón del extremo inferior derecho que es idéntico al anterior.

Figura 6.9. Los botones de control en modo Pantalla completa.